COLLECTION « LES ÉTRANGÈRES »
DIRIGÉE PAR FRANÇOISE TRIFFAUX

LA PETITE ROBE BLEUE

Bouddha et Cie, Belfond, 2001

DORIS DÖRRIE

LA PETITE ROBE BLEUE

*Traduit de l'allemand
par Jeanne Étoré-Lortholary*

belfond
12, avenue d'Italie
75013 Paris

Titre original :
DAS BLAUE KLEID
publié par Diogenes, Zürich

Si vous souhaitez recevoir notre catalogue
et être tenu au courant de nos publications,
vous pouvez consulter notre site Internet :
www.belfond.fr
ou envoyer vos nom et adresse,
aux Éditions Belfond,
12, avenue d'Italie, 75013 Paris.
Et, pour le Canada,
à Interforum Canada Inc.,
1055, bd René-Lévesque-Est,
Bureau 1100,
Montréal, Québec, H2L 4S5.

ISBN 2-7144-3995-0

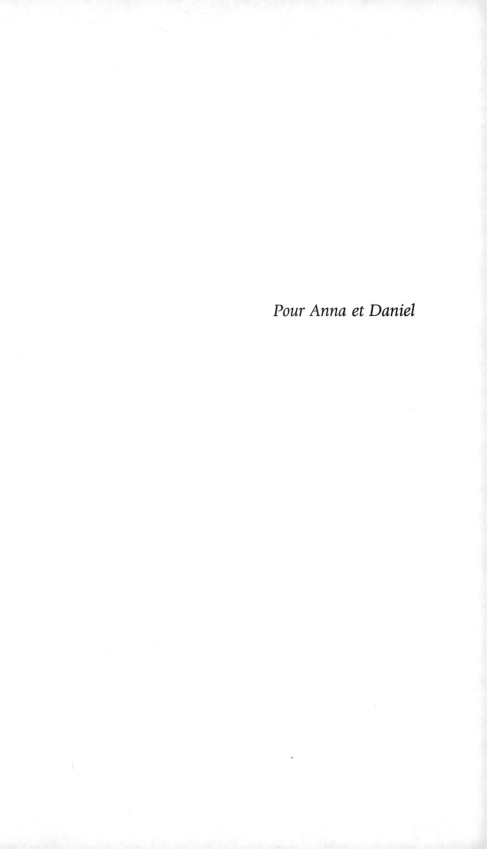

Pour Anna et Daniel

La petite robe bleue, je veux la récupérer, pense Florian en sonnant à la porte de Babette Schröder. Il sait qu'elle l'a, cette robe. Achetée le 23 mars. Il a apporté la copie du ticket de caisse avec son numéro de carte de crédit. L'adresse était dans l'annuaire. Sur ce point-là, il a eu de la chance. Elle aurait pu être d'ailleurs, comme les deux autres clientes. Il n'y avait que trois robes bleues, en 36, 38 et 40. Alfred ne faisait confectionner que ces trois tailles. Il détestait les toutes petites femmes aussi bien que les très grandes. Il les traitait respectivement de chèvres et de vaches. Je ne fais pas mes robes pour habiller des chèvres ou des vaches. Puis il relevait le menton et arborait un sourire insolent, irrésistible. Au moins ne pas me mettre à chialer maintenant, se dit Florian en pressant de nouveau sur le bouton de sonnette. Au mois de mars, Babette Schröder a acheté la robe ; Alfred est mort au mois de juin.

Il a fallu sept semaines et demie à Florian pour remettre les pieds dans la boutique. Le soir même de la mort d'Alfred, il a revêtu de robes noires tous les mannequins de la vitrine – la petite robe de jersey de coton souple, pour 759 marks – et préparé une affichette : *Fermé pour cause de décès.* Il était sorti de l'hôpital d'un pas léger, étonnamment joyeux, tandis qu'Alfred, nu, mort, était allongé dans sa chambre. Ils avaient franchi le cap, tous les deux, voilà l'impression que ça lui faisait. Où donc serait-il allé à ce moment-là, sinon à la boutique ?

La parfaite petite robe noire. Modèle *Tiffany,* parce que, d'après Alfred, elle transformait toute femme en une Audrey Hepburn. Enfin, presque. Les mannequins de la vitrine la portaient avec une souveraine et calme gravité. À cet instant, Florian n'aurait supporté personne. Il sentait autour de lui la présence d'Alfred bien vivante, il voyait ses traces de pied sur la moquette, reconnaissait la découpe de la semelle de ses chaussures de sport.

Alfred était là. Tout cela n'était finalement pas si terrible. Il s'observait avec une certaine défiance à l'égard de cette joie incongrue. Peut-être n'était-ce pas sa propre joie, mais le soulagement d'Alfred disparu ? Il l'avait tenu dans ses bras à son dernier soupir, et Florian avait très bien vu qu'il partait d'un pas allègre dans une claire lumière. Il l'avait vu ? De son regard intérieur sans doute. Il avait rêvé, désiré même, que tout aille bien désormais.

Il n'osa toutefois pas rentrer à la maison ce soir-là. Il s'assit en tailleur sur la moquette et observa l'écriture à l'envers sur la porte de verre : Alfred Britsch. Florian Weber. Alfred en premier. Il passait toujours le premier. Il était le plus rapide des deux, le plus inventif, celui à qui on avait prédit une carrière fulgurante. Florian se considérait comme le tremplin sur lequel Alfred s'exerçait à ses sauts périlleux. Et il se plaisait à être le tremplin. Le plus souvent, en tout cas. Et lorsque Alfred ne fut plus en mesure de faire des sauts périlleux, Florian s'entraîna avec lui à faire des petits pas, jusqu'à ce qu'Alfred pût revenir tout chancelant dans la boutique, pour s'asseoir, rayonnant et les joues roses, derrière le comptoir, comme s'il était seulement parti en voyage.

Mon courageux petit tailleur, disait Florian en l'embrassant délicatement, très délicatement, surtout pas trop fort parce que la chimiothérapie faisait apparaître des vésicules sur les muqueuses. Ses lèvres sentaient le désinfectant à la sauge dont Alfred badigeonnait les zones irritées. Alfred était reconnaissant à Florian de continuer à l'embrasser sur la bouche. Ils faisaient comme ils avaient toujours fait, dans la mesure du possible. Alfred se maquillait, mais seul Florian le savait. Lui seul. Personne d'autre ne se doutait de rien. Alfred avait le teint frais et rose, et, après tout, il pouvait arriver à tout le monde d'être chauve. Florian, lui aussi, se fit raser le crâne.

Maintenant, on est *hip*, avait-il dit, on est tout à fait *cool*.

Tu crois vraiment ? Alfred plissait sa nuque dénudée. J'avais quand même de si beaux cheveux, nom de Dieu !

Maintenant, les cheveux de Florian sont en train de repousser, et ils lui rappellent à chaque millimètre le temps écoulé depuis la mort d'Alfred. Il lui suffit de se passer la main sur la tête pour savoir tout de suite : quatre semaines, cinq, six, sept. Sept semaines et demie.

Au bout de très exactement sept semaines et demie, il remet les pieds à la boutique.

Il y a moins de poussière que Florian ne le prévoyait. Les mannequins de la vitrine portent avec patience leur petite robe de deuil. La collection d'été, encore sur les cintres, a déjà l'air démodée. Comment a-t-on pu porter du bleu clair et du violet ? Leur dixième collection commune. Dix ans avec Alfred. Florian a brusquement l'impression que c'est la plus longue période de sa vie. Sa vie avant Alfred, il ne peut même plus s'en souvenir ; et il ne peut pas imaginer une vie après Alfred. Il a pourtant eu suffisamment de temps pour s'habituer à cette idée, c'est sûr. Près de trois ans, Alfred a lutté comme un boxeur. Il remontait constamment sur le ring, pour être tout aussi constamment forcé au tapis et retomber sanguinolent et aveuglé dans le coin, où son entraîneur Florian le soignait, jusqu'à ce qu'il fût prêt pour le round suivant.

Aujourd'hui, Florian a le sentiment d'avoir perdu le match, *lui*, et non pas Alfred. Il a mal jusque dans les os. Personne ne lui avait dit que le deuil faisait mal jusque dans les os, dans chaque cellule du corps. Il s'allonge sur la moquette gorge-de-pigeon, qu'ils avaient choisie ensemble pour leur boutique et qui est aujourd'hui exactement comme le vendeur leur avait prédit : miteuse, tachée, pareille à celle d'un hôtel au rabais. Prenez donc un lie-de-vin, c'est très distingué. Ou bien un bleu marine.

Non ! s'était exclamé Alfred. Je déteste le lie-de-vin et le bleu marine. C'est bon pour les veuves et les vieux capitaines !

Et gorge-de-pigeon, c'est bon pour qui ? avait demandé le vendeur d'un air hautain.

Pour les rois, avait déclaré Alfred en relevant le menton. Les empereurs et les rois.

Bien entendu. Le vendeur avait haussé les sourcils. Un couple de pédales qui s'achète une moquette. Comme il vous plaira. Allons-y pour gorge-de-pigeon.

Florian pleure sur la moquette qui sent la mousse à nettoyer et n'absorbe pas bien les larmes. Elles restent accrochées aux fibres, telles les gouttes de rosée aux brins d'herbe.

Mais dis quelque chose, nom de Dieu ! Il attend un commentaire d'Alfred sur son deuil pathétique, théâtral, mais celui-ci reste obstinément muet, depuis sept semaines et demie. Florian ne fait pas de rêves, il n'a pas d'apparitions. Rien. Absolument rien. D'autres voient

Alfred, lui parlent, racontent à Florian qu'ils l'ont vu en rêve, il leur a assuré qu'il allait bien. Une cliente attitrée, bavarde, horripilante, lui a même dit qu'il semblait heureux et avait bonne mine. Florian a failli l'étrangler. Qu'est-ce qui lui prend, à Alfred, d'apparaître à cette vieille vache et pas à lui ? Est-ce qu'il apparaît vraiment aux autres, ou bien inventent-ils ça de toutes pièces pour le consoler ? Alfred est-il disparu à tout jamais ou n'existe-t-il plus que pour les croyants ?

Ils en avaient parlé, évidemment. Alfred, catholique, ancien enfant de chœur, et Florian, protestant, qui était allé au temple pour la première fois lors de sa confirmation. À son premier scanner, dans ce tube où il étouffait, tout à coup la Vierge Marie lui était apparue, et Alfred l'avait timidement raconté à Florian. Elle lui avait adressé un signe de tête, et même un sourire, et lui avait dit : Les choses sont comme elles sont. Florian n'arrivait pas à trouver ça particulièrement encourageant. Si vraiment elle apparaissait, ne pouvait-elle rien trouver de plus intéressant à dire ?

Plus tard, Alfred avait établi le dialogue avec Thérèse von Konnersreuth, dont les yeux pleuraient à Pâques des larmes de sang et qui ne se nourrissait que d'hosties. Elle lui avait conseillé de faire un pèlerinage, d'aller voir *padre* Pio en Italie ; c'est ce qu'ils avaient fait. Plus Alfred était malade, plus il devenait catholique.

Florian l'enviait, lui à qui il ne restait que la peur. La peur vide, stupide, épouvantable. Florian attend un signe d'Alfred, il attend qu'il lui apparaisse brusquement, dans un costume absurde, somptueux, son auréole sous le bras, souriant ironiquement, du sourire d'Alfred précisément, qu'il vienne le visiter et le réconforter au fond de son désespoir.

Mais rien. Absolument rien. Alfred ne vient pas.

Furieux, Florian se retourne sur le dos et fixe le plafond, qui aurait dû être repeint depuis longtemps. Sur cette surface d'un blanc grisâtre s'inscrit, telle une vieille bande d'actualités toute tremblotante, la vision d'un petit défilé de mode à la mémoire d'Alfred. Florian l'imagine déjà. Une création géniale prise dans chacune des collections : la robe-portefeuille rouge tomate de 1996, le pantalon à pattes d'éléphant en cachemire de 1998, la robe fourreau en satin crème de 1999, la petite robe noire *Tiffany*, bien entendu, la cape de crêpe de 2001, la robe bleue *Azzurro* de la collection d'été 2002. *Sa dernière robe.* Pourquoi les mots ont-ils de longues griffes acérées comme les animaux sauvages ? *Sa dernière robe.* Florian pleure.

Cette robe fait de toute femme une Marilyn, avait déclaré Alfred, sûr de lui.

D'où tenait-il donc une pareille assurance ? Elle irritait parfois tellement Florian qu'il se donnait un air plus pessimiste qu'il ne l'était vraiment.

Le bleu donne le teint pâle, avait-il observé. Dur. Rares sont celles à qui ça va.

N'importe quoi. Alfred balayait ses objections en s'agitant de tous côtés, non pas furieusement à la façon d'un chanteur de musique pop sur scène, comme il le faisait dans le passé, mais juste un tout petit peu, sur la pointe des pieds, parce que le moindre mouvement lui causait une douleur ; toutes les terminaisons nerveuses produisaient une sensation douloureuse.

J'ai la tête comme un coussin d'épingles, gémissait-il la nuit, et Florian en était malade d'impuissance. On croit toujours qu'il existe des remèdes contre la douleur, et que lorsque plus rien ne fait d'effet il reste toujours le recours à la morphine, qui calme à coup sûr. Pourtant, parfois Alfred hurlait de douleur pendant des heures, tel un chien, au point que Florian devait sortir de la chambre, incapable de le supporter.

Mais ce jour-là, Alfred était rayonnant. Je la vois comme ça : de coupe toute simple, sans manches, à peine évasée, en organdi bleu. Bleu éclatant, bleu aigue-marine, comme un lac profond, non, comme la Méditerranée, oui, je la vois comme ça.

Un bleu qui ne doit pas exister sur le marché, dit Florian incrédule, tout en se maudissant pour son impuissance à partager l'enthousiasme d'Alfred. Cette jalousie stupide et puérile, dont il n'arrive pas à se débarrasser, même encore aujourd'hui, alors qu'Alfred est mort. Alfred a toujours été le plus beau, le plus séduisant, celui qui remportait le plus de succès ; il était toujours au centre de tout, et plus que jamais à ce moment-là, à cause de sa maladie. Et qui a jamais pensé à moi ? Qui s'est demandé comment j'allais, dans cette histoire ? Je raisonne comme un salaud. Je suis un salaud. Je suis le salaud qui a eu le droit de survivre.

Alors nous l'inventerons, un point c'est tout ! s'était exclamé Alfred. On inventera le bleu parfait !

Nous. Et voici comment les choses s'étaient passées ensuite : Florian, agenouillé au bord de la baignoire, déversait dans l'eau des dosages de couleur toujours nouveaux, pendant qu'Alfred, allongé sur le divan, écoutait en boucle *Azzurro* d'Adriano Celentano, sa bassine à vomi, comme il disait, sur les genoux. De temps en temps, il vomissait aussi nonchalamment que d'autres toussent. Florian, dans la salle de bains, trempait des bandes d'organdi dans le bouillon bleu, mélangeait sur ordre d'Alfred le bleu à une pointe de turquoise et de vert, présentait à Alfred les différentes nuances, et cela avait duré jusqu'à une heure tardive de la nuit, où avait enfin été obtenu le bon bleu. Alfred l'avait baptisé « Azzurro ».

Azzurro, susurre Florian dans la moquette gorge-de-pigeon.

Le 23 mars, cette souris grise était venue à la boutique, et Alfred avait bien raison. Même elle, la robe bleue la transformait miraculeusement en une chose étincelante, rayonnante. Elle lissait timidement le tissu d'organdi craquelant. Alfred gloussait, comme si on lui faisait des chatouilles. Il avait les joues en feu. Elizabeth Arden, *Morning blush,* réappliqué à peine quelques minutes auparavant.

Florian, debout derrière le comptoir-caisse, l'observait.

N'oublie pas de me maquiller avec du rouge à joues quand je serai mort. Je ne veux pas que tu dépenses un seul pfennig de plus que le strict nécessaire. Malgré l'incinération, ils ne manqueront pas de te baratiner pour te faire acheter un cercueil de luxe. Méfie-toi de ne pas laisser percer ton côté petit-bourgeois.

À peine dix minutes plus tôt, comme ils prenaient le thé dans leur minuscule coin cuisine, ces formules étaient sorties spontanément et sans aucun avertissement. Il les avait balancées sur la table, à toute vitesse, avant que l'un d'eux pût être submergé par l'émotion.

À peine dix minutes plus tôt. Et maintenant il se tenait devant une petite femme insignifiante, un peu ronde, avec des cheveux châtains mal coupés, et il frappait dans ses mains, enchanté. Vous ressemblez à un nuage.

C'est pour ça que Florian l'aimait : l'exubérance enfantine d'Alfred, son enthousiasme, sa naïveté qui lui faisait dessiner une robe bleu pétard dans une étoffe qui se déchirait tout le temps et avait poussé les couturières au désespoir en Tchécoslovaquie, au point qu'elles appelaient en pleine nuit pour se lamenter au téléphone, avec leur terrible accent : « Pas possible ! Pas possible couser robe bleue ! »

Mais si, mais si, répondait Alfred d'un ton rassurant en voulant attraper une cigarette, qui lui était strictement interdite et que Florian s'empressait de lui passer sans mot dire, déjà allumée. Fallait-il donc que ce malheureux renonçât à tout ? Boire, il ne pouvait plus ; impuissant, il l'était devenu à cause de toute cette chimio ; quel mal pouvait bien lui faire une cigarette ?

Vous y arriverez ! criait Alfred. Je suis sûr que vous allez y arriver ! Vous allez coudre la plus belle robe bleue de tous les temps et vous ferez le bonheur d'une foule de femmes. Oui, j'en suis sûr !

Il marquait une petite pause, et Florian savait qu'à l'autre bout du fil, en Tchéquie, dans le rang des couturières pourtant déjà complètement épuisées, on reprenait confiance. Personne ne savait prodiguer les encouragements aussi merveilleusement qu'Alfred.

Maintenant, vous dépliez un journal, ordonnait-il, oui, exactement, un journal, n'importe lequel, et vous piquez le papier journal dans la couture. Oui, c'est ça. Vous mettez la doublure, puis le journal, puis l'organdi. Oui, voilà, c'est comme ça qu'il faut faire...

Il rassérénait les couturières, tout en répondant au sourire de Florian, une main sur le téléphone : un peu de politique internationale dans le vêtement ne pouvait pas faire de mal !

Point par point, tel un guide touristique, il avait patiemment suivi avec les couturières le montage de la robe bleue, jusqu'au moment où Florian s'était assoupi en rêvant de gros titres et de la Méditerranée.

Le lendemain matin, il y avait un mot pour lui dans la salle de bains : ROBE BLEUE TERMINÉE ! ! ! ! Un sourire de bébé repu sur les lèvres, Alfred était adossé à une pile de coussins ; il s'était mis sur les yeux le masque offert aux passagers de la Lufthansa en classe affaires. À la lueur jaune de la lampe de chevet, on aurait cru une star de Hollywood sans perruque, la servante allait entrer d'un instant à l'autre avec le plateau du petit déjeuner, elle remonterait les lourds rideaux, Madame ôterait le masque de son visage dans un bâillement plein de grâce. Chaque jour de survie était un triomphe.

Si vous ne la prenez pas, je vais me fâcher sérieusement, avait dit Alfred à la souris grise, parce que cette robe va vous changer la vie !

La souris l'avait regardé d'un air incertain.

Sûr, avait renchéri Alfred en lui prenant la main comme aurait fait un médecin. Il le faut !

Jusqu'au jour de la mort de son mari, Babette s'était toujours tenue au courant de la mode. Elle aurait pu raconter l'histoire de sa vie à travers des vêtements.

Le *Dirndl* avec un tablier rouge foncé qu'on lui avait donné quand elle avait cinq ans. À six ans, les souliers vernis noirs qu'elle avait égratignés dans des framboisiers ; elle en avait pleuré tout un après-midi. Un blouson blanc cassé, que sa mère lui avait confectionné et avec lequel elle ressemblait à un petit ours polaire. Un peignoir en tissu éponge bleu, sur lequel on avait plaqué un canard jaune. À quinze ans, un pantalon de velours côtelé marron, tellement serré qu'elle arrivait à peine à s'asseoir. Aux genoux, déchirés, elle avait cousu des cœurs verts. Une blouse roumaine brodée de toutes les couleurs, qui grattait un peu. Une veste en flokati blanc, qui la faisait ressembler à un mouton, mais où elle aimait à cacher son absence de poitrine. Une chemise de nuit bleu clair, presque transparente, héritée de sa grand-mère, avec laquelle elle avait tenté de séduire son premier petit ami. En vain. Il avait trop peur de son père – à juste titre. Pendant deux ans, elle n'avait porté rien d'autre que des jeans et un pull-over de son père, vert à motif torsadé, bien trop grand pour elle.

Son premier grand amour, une année durant, elle ne le retrouvait qu'en salopette élimée de marque Ford.

Pour la vidange, s'il vous plaît, lui soufflait-il à l'oreille en faisant glisser la longue fermeture Éclair.

Le suivant lui avait avoué qu'il la préférait en robe, avec un porte-jarretelles. De temps en temps, elle lui faisait ce plaisir et s'étonnait de constater que, chaque fois qu'elle sortait dans cet équipage, les hommes lui tenaient les portes et portaient ses sacs à provisions ; mais elle se sentait comme déguisée. Les jarretelles pinçaient, un courant d'air froid désagréable courait sur sa peau nue entre le bas et le slip, et elle était ravie d'enfiler à nouveau ses jeans. Avec le temps, cet homme l'aimait de moins en moins en jeans et nettement plus en porte-jarretelles ; cela attristait si profondément Babette qu'elle lui déclara un beau jour qu'elle voulait le quitter, car il ne l'aimait pas telle qu'elle était réellement.

Pour lui annoncer cette nouvelle, par pure méchanceté, elle avait mis un porte-jarretelles.

Le suivant lui acheta une jupe de soie rouge ; elle ne la porta pas une seule fois mais n'osait pas la jeter, parce qu'elle avait coûté trop cher.

Le suivant se moquait complètement de son allure extérieure, ce qu'elle trouvait blessant. S'il avait fait une observation, elle aurait au moins pu l'ignorer. Lui-même ne portait jamais que des pantalons de survêtement : il était professeur d'éducation physique. De temps en temps, ils se battaient, chose que le professeur de gymnastique considérait comme faisant partie de son entraînement sportif.

Le suivant encore l'adorait de quelque façon qu'elle s'habillât, et il lui faisait quand même toujours des compliments. Celui-là, elle l'épousa et ne porta plus dès lors que des bottes de cow-boy, comme lui. Tous les ans, ils allaient ensemble s'en acheter une paire neuve, à laquelle ils faisaient immédiatement poser des fers. Lorsqu'ils marchaient dans la rue tous les deux, ça faisait un bruit effarant. Ils se sentaient invincibles avec le claquement de ces bottes à leurs pieds. Rien ne pouvait les ébranler. Elle était arrivée à ce qu'elle avait toujours voulu dans sa vie, et elle voulait en rester là, avec lui, Fritz Bader. Pour toujours.

Sept ans plus tard, il avait trouvé la mort dans un accident de la circulation à Bali.

19

Lorsqu'elle racontait ça, Babette lisait souvent sur le visage de ses interlocuteurs l'effort qu'ils devaient faire pour ne pas s'exclamer : Bali ? Ah, c'est merveilleux !

Elle avait pris l'habitude de dire simplement : Dans un accident de la circulation, il est mort dans un accident de la circulation, et personne ne lui demandait où, ni comment.

Babette avait jeté ses bottes de cow-boy d'une cabine de téléphérique dans les Dolomites. Ils étaient venus là à d'innombrables reprises. La dernière fois, ils étaient assis au soleil devant un refuge, tandis qu'une brume épaisse s'étalait au fond de la vallée telle une couverture. Quand on est en bas dans le brouillard à patauger dans sa crasse, on oublie complètement comme c'est beau ici, avait dit Fritz. Et pourtant, tout pourrait être si simple, si seulement on voulait bien s'en souvenir.

Elle se souvenait encore de cette phrase. En se donnant un peu de mal, elle sentait même la main de Fritz sur sa nuque.

Cet hiver-là, ils avaient décidé de passer exceptionnellement les vacances de Noël non pas à la neige, mais au soleil. Bali. Quatre lettres, qui d'un coup avaient bouleversé la vie de Babette, comme si elle était tombée du télésiège et regardait les autres skieurs, heureux, défiler devant ses yeux jusqu'en haut de la montagne, alors qu'elle ne pouvait plus mettre un pied devant l'autre.

Elle avait eu envie de se laisser tomber au cœur de la sombre forêt, du haut de sa petite cabine suspendue. Cela aurait été si facile : détacher le crochet et glisser, tomber, tomber encore et ne plus rien sentir. Cela aurait été tellement plus facile que de continuer à vivre.

Elle ne portait plus que du noir, aujourd'hui cela ne se remarquait pas tellement. Enfant – elle s'en souvenait encore –, elle savait très bien ce que ça voulait dire, lorsqu'on voyait une femme vêtue de noir de la tête aux pieds. Avec même des bas de soie noirs. Cela signifiait qu'il fallait être particulièrement prévenant avec elle, et elle avait observé que la voix de sa mère changeait quand elle parlait avec ces femmes. Elle se faisait étrangement petite et sourde, et Babette en avait mal à l'estomac, elle sentait le sol se dérober sous ses pieds, une crevasse s'ouvrait, elle voyait les gens s'y engloutir apparemment à tout jamais. Ils mouraient.

Avec elle, personne ne témoignait de prévenance. Ses rares connaissances avaient vite perdu patience. Pourquoi n'allait-elle toujours pas mieux ? Pourquoi ne revenait-elle donc pas à la vie ? Elle avait rompu le contact avec eux, gênée de se montrer si triste, puis s'était installée dans un plus petit appartement de la Tengstrasse ; elle avait abandonné son travail de dessinatrice de modèles de papier cadeau, parce qu'elle ne supportait plus de passer toute la journée seule avec des petits lapins et des oursons blancs, et elle avait pris un poste de maquettiste dans une maison d'édition de livres de cuisine et de manuels de santé.

Maintenant, elle vit comme une bonne sœur. Ou comme une vieille femme. Elle devient invisible. C'est à peine si elle s'aperçoit encore dans son miroir, cachée sous des épaisseurs de plus en plus nombreuses, et quand elle se lave elle évite de regarder son corps. Elle ne veut plus rien avoir à faire avec lui. Elle envie les femmes des pays musulmans intégristes, elle aurait envie de s'envelopper d'un tchador. Elle s'enfouit sous ses vêtements noirs comme dans un trou noir. Elle est une tache noire dans sa propre vie.

Tout près de son petit appartement se trouve le vieux cimetière de Schwabing, auquel elle n'avait jamais prêté attention autrefois. Juste à côté, il y a sept ans, en mini-jupe rouge, les jambes bronzées, elle allait avec Fritz dans les bistrots, jeune, détendue, sûre d'elle. Son assurance s'est échappée d'elle comme s'évapore un dissolvant pour vernis à ongles d'un flacon laissé ouvert. Elle ne sait plus qui elle est, du reste cela ne l'intéresse plus.

Le matin, avant de se rendre à son travail, elle va là-bas. C'est le seul endroit où elle se sente relativement bien. Le plus souvent, elle fait cinq fois le tour entier du cimetière. À chaque pas elle se demande : Où es-tu ? Et pourtant, c'est la seule chose dont elle se réjouisse tous les jours. Elle trouve la paix parmi ces morts. Là, on la comprend. Là, les vieilles femmes courbées, l'arrosoir à la main, lui font un petit signe de tête compréhensif lorsque brusquement elle éclate en sanglots. Elle connaît bientôt toutes les tombes par cœur. Elle retient tous les noms : Margarethe Baader, femme de coiffeur, et Karl Baader, coiffeur ; Anna Wolfram, veuve de maroquinier ; Anton Allmer, conducteur de locomotive ; Franz Auerbach, horloger ; Johann Nepomuk, Ludwig et Otto Kröner, charcutiers et fournisseurs de la Cour et du Roi. Ce ne sont plus désormais qu'autant de noms, sans corps.

Où sont-ils tous ? se demande-t-elle avec un étonnement sincère. Fritz Bader, où es-tu parti ?

Elle aimerait bien croire à quelque chose, mais personne ne lui a appris. Ses parents ne croient pas en Dieu, elle n'a jamais été qu'en touriste dans les églises. Son père *était* Dieu. Il pouvait tout. Lorsqu'il venait dans sa chambre d'enfant lui dire bonsoir, elle lui demandait : Fais qu'en Afrique un homme traverse la route. Il faisait claquer ses doigts et disait : En ce moment même, un homme traverse la route en Afrique.

Fais qu'au Japon un enfant joue au ballon.

En ce moment même, un enfant joue au ballon au Japon, répondait le père, et alors elle voyait très précisément l'enfant et son ballon.

Fais qu'une tulipe rouge s'ouvre.

Une tulipe rouge est juste en train de s'ouvrir.

Instinctivement, Babette sentait qu'il ne fallait pas pousser ce jeu trop loin, mais jusqu'où pouvait-elle aller ? Le cœur battant de plus en plus fort, elle demandait à son père d'accomplir des exploits sans cesse plus extraordinaires tout autour de la planète.

Fais qu'un arbre perde ses feuilles. Qu'un bonhomme de neige fonde. Qu'une voiture avance. Un jour, elle dit : Fais que Dieu vienne dîner à la maison.

Son père faillit mourir de rire, mais il ne fit pas claquer ses doigts, et Babette fut déçue. Il ne pouvait donc pas vraiment tout.

Elle essaie de ne pas se demander où et sous quelle forme se trouve aujourd'hui Fritz. Seulement, il est bien aussi difficile de ne rien se représenter.

Le néant est sombre et gluant, lorsqu'elle y pense elle n'arrive pas à s'en débarrasser, il reste collé à elle tel du chewing-gum sous la chaussure. Elle essaie donc de ne pas songer au néant, ce qui est plus pénible que de soulever des haltères.

Sur une pierre, au milieu du cimetière, est gravée l'inscription : *Oh mon amour, viens à moi, sois encore à moi, comme jadis au mois de mai.*

Penser au mois de mai, et au passé, c'est encore pire. Elle évite de voir cette pierre, de si loin que ce soit. De même que les trois bancs où sont gravés en lettres d'or : FOI, AMOUR, ESPÉRANCE...

Ces trois mots n'ont pas toujours été là. Un jour, brusquement, ils y étaient. Quelqu'un les avait laborieusement gravés dans le bois puis peints en doré. Un artiste, ou en tout cas un bricoleur. Mais pourquoi ? Par vocation ? Sur ordre de la municipalité ? Ou était-ce un projet artistique subventionné ? Babette penche plutôt pour la version de la personne qui a fait ça par vocation, ou de l'artiste du dimanche – peut-être une femme ? Quelqu'un désireux d'apporter un réconfort et ne soupçonnant pas la douleur que ces trois mots pouvaient causer. Donc un homme, très certainement. Croyant, mais un peu indélicat.

Elle entend de loin le bourdonnement de la circulation, comme un souvenir de la ville. Quand on se concentre sur l'environnement immédiat des bancs, tout est calme. Un oiseau qui gazouille. Le craquement d'une branche, des pigeons dans le feuillage, des battements d'aile. Des bruits de la campagne. Parfois, loin, le klaxon d'une voiture, tel un point d'exclamation.

Tous les matins, elle voit la femme du groupe des clochards du bout de sa rue qui, sans se soucier des passants, baisse son pantalon de survêtement violet et pisse derrière une tombe. Quand il fait très froid, l'urine fume. Presque chaque jour, elle vient à neuf heures, assez ponctuellement, et si elle ne vient pas tout l'équilibre de la journée de Babette est compromis. La moindre irrégularité la plonge dans l'angoisse et la terreur, car elle signifie qu'on ne peut se fier à rien. Que tout change perpétuellement, que rien ne reste en l'état. C'est terrible.

Sur un banc sont posés des petits cailloux, soigneusement alignés les uns à côté des autres, sans doute par un enfant. Une chose qu'elle comprend. Mettre le monde en ordre. Ce serait bien. Elle observe les corbeaux, avec leur gros derrière, qui boitillent devant elle sur le chemin, comme ces vieilles femmes qui ont une faiblesse à la hanche. Elle se sent vieille, alors qu'elle n'a que trente-six ans. Veuve. Le mot est lugubre et démodé. Elle ne peut pas imaginer que ce soit le mot adéquat pour elle. Veuve. Sur les formulaires, elle devrait cocher cette case : veuf. Mais elle ne le fait pas. Elle se prétend célibataire. Sans quoi elle se mettrait à pleurer, chaque fois.

Pas à pas, elle marche à travers les saisons. Chacune apporte des souffrances nouvelles, inattendues. Où est le gros bouquet de tulipes qu'il lui offrait au printemps, et sa fameuse sauce aux sept herbes du mois de mai, où est son ventre bronzé de juillet ?

À chaque pas, elle continue de se demander : Où es-tu ? Elle ne peut pas le concevoir. Y a-t-il seulement quelqu'un qui le puisse ? s'interroge-t-elle.

Elle traverse toute une année jusqu'à ce que l'hiver revienne. Parfois il y a déjà du givre le matin sur les bancs, et les joggers portent leur souffle devant eux tels de petits panaches blancs. Tous les jours la même équipe : une jeune femme avec des seins qui sautillent joyeusement sous le tricot, une femme maigre d'une quarantaine d'années portant un soutien-gorge de sport, comme il faut, un petit homme pâle qui halète terriblement et qui arbore un air soucieux, deux jeunes gens toujours bronzés en tenues Nike flambant neuves, une rousse pâteuse qui se propulse péniblement, à peine plus vite qu'un piéton, et puis un homme de grande taille, avec des cheveux blonds en broussaille sous un bonnet à pompon vert, qui tous les matins, au bout d'un moment, lui adresse un petit signe de tête.

Babette s'étonne qu'il la voie, n'est-elle donc pas invisible ? Une tache noire sur la neige blanche. Sur la neige fraîche molle, sur celle, dure et craquante, de janvier ; et lui, qui est toujours là. Tous les jours. Comme elle. Il est devenu de plus en plus mince au fil des semaines et des mois. Sans doute à cause du jogging. Babette n'est pas sûre que ça lui aille mieux. Il semble desséché, et son visage maigre a une expression inquiète. Pourtant un matin, comme le temps est étonnamment beau et que la neige brille tels des diamants au soleil, il lui sourit brusquement.

Bonjour ! s'exclame-t-il, et le pompon vert de son bonnet s'agite.

Surprise, Babette lui sourit à son tour. Bonjour, répond-elle doucement.

Trois mois durant, ils se saluent.

Un matin de mars, la neige a fondu presque partout, les perce-neige et les crocus fleurissent sur les coussins de mousse, les chemins sont boueux et glissants, comme tous les jours il arrive en tournant au coin de la rue. Elle le reconnaît sans même lever les yeux, à son pas. Il se dirige vers elle, sourit, il va lui adresser un signe de tête, elle enfonce les mains dans ses poches avant de lever les yeux pour le saluer. Il fait bonjour à son tour, poursuit son chemin, va tourner au coin suivant ; Babette voit son pied glisser, partir vers l'avant tandis que son corps hésite, vacille et finit par s'étaler de tout son long dans la gadoue.

Babette lui laisse un peu de temps pour se relever, elle détourne le regard ostensiblement, mais du coin de l'œil elle voit qu'il reste étendu par terre, puis elle entend son cri.

Elle se précipite à son secours. Le visage crispé de douleur, il se penche sur sa cheville, il est tout blanc et, avec son bonnet à pompon vert, Babette trouve qu'il ressemble à un perce-neige géant. Elle ne peut pas s'empêcher de sourire, cela ne lui était plus arrivé depuis bien longtemps. Plus tard, elle se dira que c'est ça qui a tout déclenché : il l'a fait rire.

Elle l'aide à se relever et cherche des yeux le banc le plus proche. Ce sont ceux qui portent les inscriptions en lettres dorées. Babette se demande sur lequel des trois il va s'asseoir. Il gémit en se laissant tomber sur le plus proche. Celui où est inscrit le mot AMOUR. Non ! pense Babette, jamais.

Les yeux fermés, il s'appuie sur son épaule et se plaint doucement. La sueur perle à son front. Elle lui enlève le bonnet à pompon vert et, sans l'avoir voulu, passe la main dans ses cheveux blonds comme les blés, tout ébouriffés. Il a un beau visage clair et une peau merveilleuse. Il ouvre les yeux. Des yeux bleu clair, froids, dont la teinte change avec la couleur du ciel. Elle les voit passer du bleu clair au gris, puis au bleu marine, jusqu'à ce qu'il murmure : C'est fini, et se redresse en soufflant.

Ce n'est évidemment pas fini. Il se résigne à accepter son aide et, sautant à cloche-pied tel un corbeau qui se serait cassé une patte, se laisse conduire dans son appartement de la Isabellastrasse, juste à côté du cimetière. Et à deux pas de l'endroit où elle habite. Bizarre qu'ils ne se soient pas croisés chez le boulanger, à la poste ou sur le Elisabethmarkt.

Comment et quand se recoupent les circuits sur lesquels chacun évolue ? Comme sur un patron de coupe, elle voit son propre itinéraire en rouge et celui du blessé en bleu, elle les voit se manquer pendant des années, parfois de très peu, quelques secondes à peine, pour brusquement un jour se rencontrer. Mais pourquoi ?

Son appartement est grand et clair, rien à voir avec le trou où elle vit, mais la sobriété de l'aménagement laisse soupçonner à Babette que quelqu'un a dû déménager il y a peu. Il se présente sous le nom de Thomas Kron, anesthésiste à l'hôpital de Schwabing, il le lui dit d'un seul trait, comme pour remplir un formulaire. En fait, maintenant, elle pourrait s'en aller. Un pâle soleil d'hiver inonde la cuisine, bien rangée ; une tasse à café est posée dans l'évier, une seule, Babette l'a vu tout de suite. Pas de fleurs, nulle part, pas de plantes, il n'y a pas de femme dans cette habitation, elle en est presque sûre. Assis à la table, il a enlevé sa chaussure et sa chaussette, Babette constate avec satisfaction que ses ongles de pieds sont soigneusement coupés. Une seule tasse à café et des orteils soignés – il ne lui a pas fallu longtemps pour recueillir toutes les informations nécessaires !

Il tâte précautionneusement sa cheville enflée. Je vais aller aux urgences, chez nous, tout à l'heure, dit-il en faisant de la main un geste de refus, ce n'est pas trop grave.

Elle est toujours là, son manteau sur le dos. Indécise.

Bon, alors je vais...

Vous prendriez un café ? demande-t-il vite.

Oh, pourquoi pas.

Elle le prépare elle-même, pour lui épargner de se déplacer sur un pied. Il lui indique le placard, les tiroirs, et elle se laisse faire avec plaisir, à l'instar d'un cheval qui, après avoir séjourné longtemps à l'écurie, serait de nouveau attelé. Préparer un café à un homme... Il faut que je fasse attention à ne pas lui mettre machinalement deux morceaux de sucre dans sa tasse, songe-t-elle, et elle sent une secousse lui parcourir tout le corps, comme s'il s'éveillait d'un long sommeil hivernal. Les mains tremblantes, elle lui sert un café et s'enfuit.

J'avais complètement oublié que... Mon Dieu, je suis déjà très en retard... alors, remettez-vous bien...

Elle se retrouve dans la rue, bouillante d'excitation.

Non, jamais, pense-t-elle. Par chance, il ne sait même pas mon nom.

L'après-midi, en revenant de son travail, assise à sa table de cuisine, elle pense à l'autre table de cuisine.

Sur le minuscule balcon, les pigeons roucoulent. Furieuse, elle ouvre la porte et frappe dans ses mains. Ils s'envolent lourdement. Sur le sol de béton, quelques brindilles sont vaguement disposées en cercle. Elle les rassemble avec le balai et les jette. Les pigeons se posent dans la gouttière avec un roucoulement outré, ils attendent juste qu'elle disparaisse pour commencer à construire un nouveau nid.

Elle se bouche les oreilles.

Les jours suivants, elle ne va pas au cimetière, même si de toute façon il ne peut pas y venir, puisqu'il est incapable de marcher. Peut-être devrait-elle l'appeler, lui demander des nouvelles de son pied. Non, je n'en suis vraiment pas encore là. Plus jamais. Non. Non et non !

À la place, elle se rend au Englischer Garten, bondé de monde par cette chaleur printanière. Ça bouillonne. Elle regrette les tombes, la présence de la mort. De toutes parts, ce grouillement de vie. Des enfants qui hurlent, des couples d'amoureux en train de s'embrasser sur les bancs, les rolleurs enlèvent déjà leur tee-shirt, les restaurants en plein air, les *Biergarten,* sont ouverts, les oiseaux ont revêtu leur habit de parade.

Babette se réfugie dans les toilettes d'un *Biergarten*. À l'intérieur de la porte, une inscription : *Cherche femme, prête à baiser avec moi 10 x par jour. Si elle a un enfant, je paierai la pension. J'ai une belle queue. Répondre ici SVP. Je viens tous les jours. J'ai 33 ans. Âge et allure indifférents. Quand, où, à quelle heure ?*

Babette fond en larmes. Ça ne lui est arrivé que rarement, mais là, sur cette cuvette de toilettes, elle pleure à s'en déchirer les poumons. Elle rentre chez elle en titubant comme si elle était malade. Dans son lit, elle écrit à Fritz, et si elle oublie de réfléchir elle l'entend lui répondre.

Cher Fritz, j'ai fait la connaissance de quelqu'un. Mais je ne veux faire la connaissance de personne.

Ah ! ma chérie. Tu sais pourtant bien que je ne veux pas que tu vives comme ça.

Mais je ne peux pas faire autrement. Je ne veux pas de tout ce théâtre, pour qu'à la fin ce soit quand même toujours la fin.

Tu es stupide, et tu le sais bien.

Aide-moi.

Vas-y, fonce.

Je ne peux pas.

Je t'aime.

Moi aussi.

Tous les jours, quand elle revient de son travail, elle voit les pigeons construire leur sale nid. Elle les chasse en criant, jette les bouts de branche. Et pourtant, un beau matin, elle trouve le premier œuf. Elle le ramasse avec une cuillère et le jette dans les toilettes.

Foutez-moi le camp, espèces de rats des airs ! hurle-t-elle, et elle s'étonne de trembler de colère. Le mâle se pose sur le conduit d'aération de la salle de bains.

Rocou, rocou, rocou, lui roucoule-t-il à l'oreille.

Fuck you ! s'exclame Babette en tapant avec une cuillère sur le conduit, jusqu'à ce que les voisins s'insurgent : Silence là-dedans !

Elle attend des semaines avant de retourner au cimetière. Bien sûr, il n'est pas là. Avec ce pied, comment aurait-il pu ? Ce genre de choses, ça prend du temps. Pendant son absence, de petites fleurs bleues sont écloses autour des tombes. Est-il vrai que les morts engraissent la terre ? Se transforme-t-on vraiment en petite fleur à la fin des fins ? Les bourgeons sont prêts à éclater sur les arbres. Une mouche, toute seule, passe en bourdonnant. Babette évite les bancs. C'est seulement quand elle est sur le point de sortir qu'elle aperçoit, accroché au banc de l'ESPÉRANCE, un petit papier délavé : *Chère dame en noir qui avez bien voulu m'aider. Impossible de venir à cause de mon pied. Mais peut-être demain ? Thomas.*

De quel lendemain s'agissait-il ? Aujourd'hui ? Demain ? Ou bien hier ? Il y a deux semaines ? Dame en noir, murmure-t-elle, et elle ferme les yeux sous le soleil. Elle aime cette chaleur orangée sur ses paupières et se sent dégeler lentement, comme une brique d'épinards congelés. Ses angles et ses bords s'amollissent, la chaleur s'infiltre péniblement en elle, tout au fond, ce fond qui pendant très, très longtemps encore ne se réchauffera pas, elle le sait pertinemment – et pourtant, sur le chemin du retour, elle s'arrête devant une petite boutique parce qu'elle voit en vitrine une robe sans manches, bleu Méditerranée.

Elle se dépouille à contrecœur de ses pelures noires. Son corps lui paraît blanc, sans défense et d'une douceur inattendue sous la lumière crue de la cabine d'essayage. Le tissu bleu glisse telle de l'eau froide sur sa peau. Elle se risque à sortir de la cabine, le sol est glacial sous ses pieds, elle a la chair de poule. Elle se sent dinde avec cette robe d'été.

Le vendeur, un jeune homme chauve avec un léger embonpoint et des joues roses comme un enfant, manifestement homosexuel, la considère d'un œil critique, puis se met à taper dans ses mains, petites et grassouillettes, d'un air émerveillé.

Cette robe ! s'écrie-t-il, cette robe va vous changer la vie !

Le second vendeur, derrière le comptoir, sans doute homosexuel lui aussi, discret, mal à l'aise, brun, bien fait de sa personne, paraît sceptique, mais Babette n'a plus le choix, elle ne peut pas décevoir le vendeur aux joues roses. Si elle se laisse faire aussi facilement, si elle paie une somme folle pour cet achat, c'est qu'elle espère que cette robe fera d'elle quelque chose qu'elle aimerait bien être et ne sera pourtant plus jamais.

Je me suis acheté une robe d'un bleu extraordinaire, aussi bleu que la mer à Bali.

Arrête !

Je te plairais avec cette robe.

Tu me plairas. Je te verrai et je te trouverai merveilleuse.

Je ne voudrais pas que tu me regardes quand…

Alors je regarderai ailleurs.

Mais je saurai que tu regardes ailleurs.

Crois-tu vraiment que je puisse te voir ?

Non. Justement.

Je t'aime.

Moi aussi.

Alfred avait réellement la conviction que les vêtements pouvaient changer nos vies, que nos enveloppes déterminaient notre existence.

À la fin, il était nu. Personne n'essayait plus de lui faire encore enfiler une de ces odieuses chemises d'hôpital, ouvertes par-derrière et qui font de tout malade un enfant sans défense, dont n'importe qui peut se moquer.

Son corps paraissait toujours jeune et intact, jusqu'au dernier moment. Le plus choquant, vraiment, c'était que cette enveloppe n'ait rien trahi. Extérieurement, tout allait comme toujours, alors que l'intérieur était déjà en ruine, plus rien ne fonctionnait, à part le cœur.

Il a un cœur très solide, avait dit l'infirmière. Traduction : ce sera long.

Les parents d'Alfred étaient venus. Sa mère avait posé la tête sur la poitrine de Florian et avait pleuré. C'est ma faute, lui avait-elle murmuré à l'oreille, c'est ma faute, avec mes sales gènes.

Les parents d'Alfred habitaient un peu à l'extérieur de Füssen, sur une colline au milieu d'un quartier de bungalows des années soixante-dix, avec vue sur Neuschwanstein. Florian et Alfred y étaient allés ensemble pour la première fois près de dix ans plus tôt, faire la connaissance des beaux-parents, avait ricané Alfred. Mais n'aie pas peur, ils sont tout à fait inoffensifs, ni plus ni moins coincés que la moyenne.

J'ai l'impression de devoir prendre une forteresse, avait répliqué sombrement Florian.

Tu ne crois pas si bien dire. D'ailleurs, du salon, tu as vue sur le château de Neuschwanstein, avait ajouté Alfred dans un éclat de rire tandis qu'ils s'engageaient sur l'entrée du garage. Et la reine mère s'avançait déjà à leur rencontre.

Mme Britsch était filiforme et bronzée, elle portait les cheveux dénoués avec des mèches blondes, une vraie crinière de lion. Elle venait à eux pieds nus, en jeans et chemise d'homme à rayures bleues et blanches.

Entrez, mais entrez donc ! leur criait-elle fébrilement en ouvrant la porte de la voiture.

Elle tutoya d'emblée Florian comme s'il avait été un vieux camarade de classe d'Alfred. Elle semblait avoir décidé que Florian était tout simplement un garçon fréquentant l'école d'Alfred et que ce dernier l'avait ramené à la maison. C'était aussi simple que cela. Un bon camarade de classe. Et on pouvait encore fumer une cigarette et boire un Campari avant que son mari rentre à la maison et que les choses deviennent plus protocolaires.

Le maître de maison n'aime pas du tout qu'on fume, avait-elle confié à Florian.

Alfred ne fume plus, avait répondu Florian.

Vraiment ?

Il a arrêté il y a quatre mois.

Alfred se taisait.

C'est formidable ! s'exclama-t-elle. Moi, je n'ai pas assez de volonté. J'ai besoin de mes petits vices. Elle rit en rejetant les cheveux en arrière. Autrefois, Alfred et moi, on fumait un joint de temps en temps, la nuit. En cachette, ici, dans le jardin. N'est-ce pas ?

Alfred gardait le silence ; Florian souriait.

Bon, d'accord, je me tais, reprit-elle, et son sourire s'éteignit.

Plus tard, ils s'installèrent sur des chaises longues tous les trois dans le jardin, l'air complètement détendus, la mère d'Alfred en petit bikini à fleurs.

Elle s'habille tout au plus en 36, pensa Florian, pas mal pour son âge. Il se sentait aussi maladroit et embarrassé qu'un adolescent de seize ans dans le vieux maillot d'Alfred que Mme Britsch était allée lui chercher, un maillot bleu marine orné de bandes rouges sur le côté qui le serrait trop aux cuisses ; et ses parties génitales lui paraissaient d'une grosseur désagréable.

Alfred s'était bel et bien assoupi, son ventre lisse et plat se soulevait et s'abaissait calmement au rythme de sa respiration.

Il ne peut quand même pas faire ça, s'endormir purement et simplement, et me laisser en plan là, pensait

Florian. Il tendit discrètement la main vers Alfred ; juste comme il allait la poser sur sa jambe, Mme Britsch se retourna sur le ventre et souleva la tête.

Quelle chaleur, aujourd'hui ! s'exclama-t-elle. Je crois que j'ai besoin de me rafraîchir, et elle se leva avec une agilité ostentatoire, attrapa le tuyau d'arrosage et fit couler l'eau.

Florian savait ce qui allait se passer. Naturellement, elle dirigea le jet sur eux, les forçant à sauter de tous côtés en piaillant tels des petits enfants, à s'emparer du tuyau, à se venger, en mouillant tout jusqu'à ce que le gazon sous leurs pieds devînt bourbeux. Ils rirent docilement, puis ils se retrouvèrent là tous les trois, dans le jardin, postés en triangle et les mains sur les hanches, Mme Britsch fixant le maillot de Florian. Il percevait l'odeur de noix de coco de sa crème solaire.

Je vais lui montrer un peu les alentours, murmura Alfred.

C'est ça, répondit sa mère, repoussant en arrière ses cheveux blonds mouillés qui lui tombaient sur le visage. Elle semblait brusquement embarrassée et un peu ridicule dans son petit bikini, comme si elle n'avait pas choisi le vêtement convenable pour l'occasion. Debout, sa silhouette n'était pas aussi irréprochable que couchée. Florian considérait froidement les petits bourrelets de graisse sur son ventre et sur ses cuisses. Sous ce regard, elle croisa les bras sur sa poitrine et fléchit une jambe. Montre-lui donc Neuschwanstein. Ça vaut la peine.

Mon Dieu, dit Florian un peu plus tard, dans la voiture.

C'était si terrible ? demande Alfred.

Toi, toi, tu es terrible.

Comment ça ?

Tu fais comme si je n'existais pas.

Tu rêves.

Tu ne me regardes pas.

C'est dans ta tête.

Tu me laisses tomber, insiste Florian en regardant par la fenêtre. Verts pâturages, vaches brunes, ciel bleu. Cette nature est à mourir d'ennui. Et toi qui me laisses tomber...

Ils louent un bateau ; Alfred rame, il promène Florian sur le Alpsee. Il y a une photo de ça. Alfred, ses boucles noires et mouillées qui lui retombent sur le visage, torse nu, bronzé, avec des lunettes de soleil dorées Oakley, souriant, provocateur et séduisant, fort et en si bonne forme.

J'ai envie de t'embrasser.

Florian ! Arrête tes bêtises ! Tu vas nous faire chavirer, rassieds-toi !

Florian se rassoit. Le lac scintille si fort qu'il en est aveuglé. Il porte la main devant ses yeux.

Mais ne fais donc pas tant d'histoires, dit Alfred. Mon Dieu, c'est quand même beau ici, non ?

Il montre le château de Hohenschwangau, jaune. La maman habitait là, et là – il montre Neuschwanstein, blanc éclatant – le fils homo. Parfait.

Il rit, secoue la tête. Tous deux se taisent. Les rames clapotent dans l'eau. Tu t'es aperçu qu'elle n'avait qu'un sein ? Ils ont fait ça bien. On lui a enlevé un sein il y a six mois. Et elle ne m'a rien dit. À mon père non plus. Jusqu'à ce que ce soit passé. Elle nous considère comme des mauviettes. Elle a dû vivre l'enfer. Sans un mot. Si on ne le savait pas, on ne le verrait pas, hein ?

Alfred s'arrête de ramer, ôte ses lunettes de soleil et plisse les yeux. Ses cheveux ne sont pas les siens non plus, et si elle fume des joints, c'est à cause des effets secondaires de la chimiothérapie. Il se passe la main sur les yeux. J'ai besoin de toi, imbécile, ajoute-t-il.

Au bord du lac s'étend une prolifération de nénuphars blancs. Les fleurs ressemblent à des couronnes sur les feuilles ovales. Dans la première collection qu'ils créeront ensemble, il y aura une robe nénuphar, de soie blanche plissée avec des revers de satin émeraude aux poignets et des broderies jaunes sur le col. Ils n'en parleront jamais, mais sauront tous deux que cette robe évoque leur première excursion sur le Alpsee. Le tissu de souvenirs communs était si serré alors que, sans l'autre, tant de ces souvenirs deviennent évanescents, remarque Florian, forcé de vivre sans la mémoire d'Alfred. Quel lac était-ce ? Le Alatsee ou le Alpsee ? Il se souvient d'Alfred, tout en haut d'un arbre ; il lui fait un signe de la main, s'élance au-dessus du lac au bout d'une corde, comme Tarzan, et se laisse tomber dans l'eau verte et glacée en criant. De quoi se serait souvenu Alfred ?

Je t'ai préparé la chambre d'amis, dit Mme Britsch à Florian en souriant. Elle passe la main dans sa crinière blonde.

Dormez bien.

Elle leur fait une bise à tous les deux. Alfred dort dans son ancienne chambre d'enfant. Florian imagine Mme Britsch qui le borde dans son lit, s'assied sur une couverture bleue ornée de petits ours, écarte une mèche de cheveux de son front.

Bon, alors, dors bien, murmure Alfred avec un sourire de travers en ouvrant la porte de sa chambre. Il hausse les épaules d'un air de regret, revient vers Florian et lui vole un rapide baiser, pire encore que rien du tout.

Ne t'en fais pas, dit Florian et monte l'escalier qui craque pour rejoindre la chambre d'amis.

Sur la serviette est posée une petite savonnette, comme à l'hôtel.

Il s'assied sur le lit pour écouter les bruits de la maison. Il entend le père d'Alfred tousser, la voix de sa mère. Toute la soirée, Florian a essayé de voir sa poitrine. Au dîner, elle portait un kimono vert pomme avec une ceinture rouge. Une ancienne création d'Alfred. Florian essaie de se représenter Alfred et sa mère devant la machine à coudre dans le salon, tandis que dehors le soleil se couche sur Neuschwanstein et Hohenschwangau.

Il doit faire attention de ne pas se mettre à glousser stupidement. Ils parlent voyage, avec ça on ne risque pas de commettre d'impair. Pour un peu, le père d'Alfred leur montrerait ses diapositives d'Égypte.

Montre-nous plutôt les films, soupire Alfred, et sa mère applaudit.

Oui, mon chéri, s'écrie-t-elle, s'il te plaît !

M. Britsch installe le projecteur, opération assez complexe ; Alfred et Florian déroulent l'écran. Alfred lève les yeux au ciel. Derrière l'écran, Florian frôle rapidement la main d'Alfred, tandis que défilent déjà des films en super-8 d'Italie et d'Espagne dévoilant un petit Alfred tout maigre, qui ne cesse de sauter dans une piscine, qui mange une glace, porte une culotte de cuir et donne la main à sa maman, en robe d'été de dentelle blanche avec sur le nez de gigantesques lunettes de soleil. Plus tard, Alfred, grande perche de quinze ans, aux cheveux noir de jais, une tignasse en bataille qui lui retombe sur les yeux, tel un chien de berger. Il tient par la main sa mère, qui porte un ensemble en jean et paraît tout à coup petite et gracile, c'est elle maintenant qui donne la main.

Mme Britsch rit et boit un peu trop.

Regarde ! s'exclame-t-elle constamment. À quoi est-ce que je ressemble ! C'est pas possible !

Sur l'image tremblante, dans des couleurs délavées, Florian tombe amoureux d'un Alfred qu'il ne connaissait pas jusqu'alors : timide, maladroit, différent des autres parce qu'il aime tant rester avec sa maman. Le petit garçon à sa maman. Lavette. Chiffe molle. Le petit Alfred. Il se sent pris de tant d'amour qu'il en suffoquerait presque ; il doit s'écarter un peu d'Alfred, assis à côté de lui sur le divan, pour résister à l'envie de se jeter sur lui.

Le père d'Alfred l'observe du coin de l'œil. Il ne parle presque pas, actionne le projecteur, remplit les verres, change les bobines. En hochant la tête, il contemple sa petite famille à la plage, dix ou quinze ans en arrière, et ne dit rien d'autre que : Fuerteventura, 78 ; Elbe, 82 ; Majorque, 84.

Florian rêve de mer, il sent le sable sous ses pieds, il porte un maillot trop serré, les mouettes crient au-dessus de lui, ou serait-ce des femmes en robe blanche ? C'est alors que la porte s'ouvre. Alfred se glisse sous la couverture, lui pose la main sur la bouche, le lit grince.

Doucement, chuchote Alfred, doucement. Pas si fort. Il rit. Vraiment, pas si fort.

Je ne peux pas, gémit Florian. Je t'aime tellement.

Lorsque Florian descend l'escalier, le lendemain matin, le silence règne encore. Il entre à pas de loup dans le salon. Il a peur de croiser M. Britsch. Ça sent la fumée de cigarette et le vin rouge. Ce matin, les montagnes sont dans le brouillard, on ne voit pas Neuschwanstein. Y sont-ils vraiment allés hier ? Neuschwanstein existe-t-il seulement ? Alfred est-il venu auprès de lui dans la nuit ? Tout ça n'est qu'un rêve.

Il entend du bruit à la cuisine. Il espère que ce sera Alfred, mais c'est sa mère. Elle est à l'évier et regarde dans une autre direction, le café passe lentement dans la machine.

Bonjour, dit Florian, un rien trop fort.

Elle marmonne quelque chose qu'il ne comprend pas. Sa robe de chambre a été taillée dans une fine étoffe de *Dirndl* verte que Florian reconnaît. Une fois, Alfred a défilé devant lui en portant les *Dirndl* de sa grand-mère, pendant toute une soirée, avec le tablier et le corsage. Charmant !

Florian fait un sourire embarrassé. Sous l'étoffe du *Dirndl*, les épaules de la mère d'Alfred se soulèvent, alors seulement Florian s'aperçoit qu'elle pleure.

Pardon, dit-il, effrayé, en faisant mine de se retirer. Elle se retourne vers lui, le visage blême et gonflé. Ses cheveux blonds mal peignés semblent bien trop volumineux pour sa petite tête.

Comme avez-vous pu ? lance-t-elle. Comment avez-vous pu…

Elle se dirige vers lui. Florian recule, comme quand il était enfant, il a le réflexe de tout nier.

Comment avez-vous pu me lâcher pareillement ? reprend-elle, et elle éclate en sanglots. Comment avez-vous pu me faire ça ? Vous n'avez donc aucune pitié ? Il faut vraiment que j'entende tout ça ?

Elle donne une gifle à Florian du plat de la main, il ne se défend pas. Puis tout à coup elle appuie sa tête contre la poitrine de Florian, il passe un bras autour de ses épaules encore secouées de mouvements convulsifs, le café goutte, un merle chante dehors.

Longtemps Alfred ne dit rien de sa maladie à ses parents. Je ne peux pas faire ça à ma mère, je ne peux tout simplement pas. Elle se sentira coupable, comme toujours. Et elle usera de cette culpabilité pour faire pression sur moi. Elle dira que c'est la faute de ses gènes si je suis malade.

Un jour, Alfred a expliqué à Florian que le mot japonais pour désigner la peau et le vêtement était le même. Un célèbre couturier nippon l'aurait dit au cours d'un entretien. Lui, qui enfant avait survécu à Hiroshima, avait pendant des semaines badigeonné d'œuf la peau brûlée de sa mère et lui avait ainsi sauvé la vie.

Qu'aujourd'hui ce type fasse des fringues, je le comprends, avait ajouté Alfred. Et toi ?

Florian avait acquiescé de la tête, bien qu'il ne le comprît pas très bien ; alors Alfred avait attiré sa tête vers lui et l'avait embrassé pour la première fois.

Florian embrasse Alfred pour la dernière fois. Il pense : c'est la dernière fois, mais il ne le comprend pas.

L'infirmière le prend doucement par le bras et le fait sortir de la chambre. Il sort docilement avec elle, pour revenir ensuite sur ses pas, repousser le linceul et toucher encore une fois, une dernière fois, le corps d'Alfred. Le corps n'a pas changé, il est chaud, blanc, pas encore raide, et pourtant Florian sent très bien qu'Alfred ne l'habite plus. Il en est parti. Disparu. Comme un bernard-l'ermite, il a quitté ce corps et il est peut-être déjà en quête d'un autre. Ce serait bien si je pouvais y croire, songe Florian. Ses mains se promènent sur cette peau qu'il connaît si bien et qui lui devient de plus en plus étrangère. Cette enveloppe n'est plus celle d'Alfred, c'est une autre. Très bien coupée, taille 54, un bon 54, aurait dit Alfred.

La petite souris a acheté la robe bleue ; Florian a pris sa carte de crédit. Babette Schröder. Une fois qu'elle a été partie, Alfred s'est tourné vers lui d'un air satisfait.

C'est vraiment une belle robe, tu sais ? lui a-t-il lancé. Une vraiment belle robe !

Le lendemain matin, il s'éveillait avec quarante de fièvre et une pneumonie, il n'est plus jamais retourné à la boutique.

Un long moment s'est écoulé avant qu'il entende des pas et qu'on lui ouvre la porte. Elle portait un sweat gris, informe, elle avait les cheveux sales, le nez bouché, l'appartement exhalait une odeur de Vicks VapoRub, comme une cargaison d'enfance.

Oui ? a-t-elle dit d'un ton maussade.

Florian s'est mis à parler d'une robe bleue, d'une voix hésitante et de façon incohérente ; Babette le considérait avec méfiance, attendant qu'il déballe son offre d'abonnement de presse, d'aide aux jeunes délinquants, ou la promesse de révélation des Témoins de Jéhovah. Lorsqu'en prononçant le prénom d'Alfred il a brusquement fondu en larmes, elle l'a pris par le bras, l'a entraîné dans son petit appartement sinistre, l'a fait asseoir sur le sofa Ikea et lui a offert une tasse de camomille.

Florian pleurait sans retenue, elle l'a laissé faire, elle est allée chercher la robe bleue et l'a accrochée à la porte du salon.

La robe portait de minces traces de transpiration sous les bras ; Florian l'a vu tout de suite. Et une petite tache de graisse sur l'ourlet. Ne laver en aucun cas, uniquement nettoyage à sec. Il restait à renifler, la tête penchée sur sa tisane, qui sentait un peu le moisi. Ils contemplaient en silence la robe, suspendue comme un morceau de ciel bleu dans cette pièce lugubre. Sur le petit balcon, les pigeons roucoulaient.

Rats des airs, grommela Florian en se mouchant.

Babette Schröder éclata de rire. C'est comme ça que je les appelle, moi aussi, dit-elle.

Ils me font peur, déclara Florian.

Je les déteste, renchérit Babette. Cette lubricité, et cette affreuse joie de vivre. Je jette les œufs et je détruis leurs nids dégueulasses. Ça m'énerve qu'ils fassent des nids aussi horribles. Inhospitaliers, et tout à fait de mauvais goût.

Florian acquiesça d'un signe de tête. D'une façon générale, ils n'ont vraiment pas la classe !

Babette lui resservit de la tisane. Florian promena son regard sur le petit appartement. On aurait cru une installation provisoire, et en même temps un peu désuète. Un très vieux bureau voisinait avec un lit de camp, la table du salon était un dispositif improvisé composé d'une plaque de verre et de pierres, le canapé Ikea – sur lequel il était assis – était usé et taché, seul le tapis, un vieux kilim aux couleurs vives, était beau.

Elle vit son regard et sourit. Je n'ai pas l'intention de rester vivre ici, dit-elle, cet appartement n'est que transitoire.

Florian opina du chef.

La robe de votre ami a réellement changé ma vie, poursuivit-elle. Pour un temps. Maintenant, malheureusement, l'effet s'estompe.

Au lendemain même de son achat, elle avait rassemblé tout son courage et s'était assise, dans sa robe bleue, sur le banc où était inscrit le mot AMOUR. Il faisait bien trop froid pour une robe si légère ; en outre, la foulure à la cheville n'était certainement pas encore guérie. Elle se trouvait passablement ridicule, mais quelque chose frémissait en elle comme un poisson rouge dans son bocal. Ce matin-là, exceptionnellement, elle n'avait pas détruit le nid de pigeon, elle avait regardé faire ces animaux stupides, par superstition. Si elle les laissait roucouler, peut-être aurait-elle le droit aussi. De leur sale petite habitation, six œufs avaient été extirpés par ses soins et jetés du bout des doigts dans la poubelle. Assassine, avorteuse. Elle était allée à l'encontre de la nature, et pour cela elle serait punie.

Elle sentait que le mot AMOUR risquait de s'incruster dans son dos telle une marque au fer rouge. Elle se maudissait, se méprisait, mais elle resta assise.

42

De longues minutes s'écoulèrent, elle avait déjà les pieds et les mains complètement engourdis par le froid lorsqu'elle le vit venir vers elle en boitillant. Il ne la reconnut pas tout de suite dans sa robe bleue. Elle dut se retenir pour ne pas se lever d'un bond et courir à sa rencontre comme une petite fille.

Et pourquoi ? se demanda-t-elle tandis qu'il avançait péniblement pas à pas, pourquoi ? Parce qu'il sentait bon ? Parce qu'elle aimait le contact de sa peau ? Parce qu'il n'avait pas de tasses assorties dans son placard de cuisine – comme elle ? Parce que les lobes de ses oreilles ressemblaient à ceux de Fritz ? Ne recherche-t-on jamais que ce que l'on connaît déjà ? Qu'allait-il advenir de cette histoire ?

Il lui adressa un signe de la main, et elle sentit son cœur sauter dans sa poitrine.

Vous ressemblez à une fleur bleue, dit-il en souriant.

Novalis, répliqua-t-elle du tac au tac, et elle en fut contrariée. « Cueille-moi, aurait-elle voulu lui crier, prends-moi ! Dévore-moi ! »

Mais cela n'arriverait que beaucoup plus tard, tant Thomas était réservé, et très lent. Cela mettait Babette tellement en colère parfois qu'elle allait et venait furieuse dans son petit appartement, comme un tigre affamé, se jurait de ne plus jamais, au grand jamais, se manifester auprès de lui, de ne plus jamais se rendre au cimetière. Alors, il verrait !

Quand elle réussissait réellement à ne pas y aller un jour, le surlendemain, un petit mot était collé au banc dédié à l'Amour : *Où es-tu ? Je me fais du souci.*

Ils se téléphonaient rarement, craignant peut-être de se perdre en séparant les voix des corps.

Babette s'offrait à lui comme un buffet garni, et il restait planté devant sans pouvoir se décider. Peut-être juste un hors-d'œuvre ? Directement le dessert ? Ou bien quand même le plat principal ? Non. Il avait derrière lui un mariage. Il avait peur.

Et moi ? demandait Babette. C'est moi qui devrais avoir peur, pas toi.

Mais tu n'as pas fait de mauvaise expérience en amour, répliquait-il en lui tenant la main d'une façon qui semblait signifier l'imminence de sinistres nouvelles.

Pas de mauvaise expérience ?

Il ne lâchait pas sa main. La mort n'est pas une mauvaise expérience, elle est grande et atroce, insistait-il ; non, je veux parler de cet étiolement progressif, comme celui d'une plante d'appartement que, pour d'insondables raisons, on n'arroserait plus.

Ton mariage ? observa-t-elle, incrédule. Tu compares ton mariage à une plante d'appartement ?

C'est un peu ça.

Et pourquoi ne l'as-tu plus arrosé ? Parce que tu n'en avais plus envie, parce que les autres fleurs te plaisaient davantage, parce que tu avais perdu les conseils d'entretien ou parce que tu n'as pas la main verte ?

Il esquissa un sourire embarrassé. Oui, je crois qu'on pourrait dire ça : je n'ai tout simplement pas la main verte pour l'amour.

Babette n'en sut pas davantage. Il se refusait à parler de son ex-femme. Elle restait sans nom, sans visage. Un trou béant s'ouvrait derrière lui, et lui-même restait de ce fait étrangement flou. La seule possibilité pour Babette de faire sa connaissance aurait été de l'attraper, de toucher son corps, mais il ne se laissait pas même vraiment embrasser. Juste quelques bécots d'oiseau, pic, pic, et il lui tenait la porte ou la reconduisait à la maison.

Plus il la faisait attendre, plus son corps s'affolait. Elle s'acheta des chaussures de course chez une vendeuse émaciée qui lui avoua spontanément que, dans son existence, elle sacrifiait tout au jogging.

Quand on court, le reste n'a plus aucune importance, lui dit-elle, illuminée, c'est merveilleux.

Ah, bon ! répondit Babette dubitative, et elle-même se mit à courir autour du cimetière pour maîtriser son

44

corps. Elle était gênée de constater qu'elle se différenciait fort peu d'une pâquerette ou d'un arbre en bourgeon. Elle comprenait tous les bourgeons prêts à éclater, toutes les mauvaises herbes qui proliféraient sauvagement.

Elle s'acheta des tee-shirts serrés, largement décolletés, des jupes courtes, des bas résille noirs et des talons aiguilles. Il restait de marbre.

Elle lui demanda sans ambages : Pourquoi ? Je n'ai plus quinze ans. Et même à quinze ans, ça allait plus vite.

Il repoussa ses cheveux en arrière et baissa les yeux d'un air affligé. Je suis désolé, dit-il. Je ne voudrais pas compliquer les choses, mais je ne veux simplement rien gâcher.

On pourrait au moins essayer de voir si on s'entend, objecta-t-elle. Si ça se trouve on s'apercevra qu'il n'y a rien entre nous.

Elle ne voulait pas perdre de temps ; mais ça, elle ne pouvait pas le lui dire.

Il secoua la tête avec lenteur, comme s'il y réfléchissait réellement.

Elle l'observait attentivement avec quelque méfiance, tel un chat. De loin, il paraissait très adulte, et plus il approchait, plus il arborait une expression juvénile et craintive. Il avait vu périr son couple, sa plante d'intérieur, le pauvre.

Trouvait-elle vraiment cela sympathique ? L'aurait-elle seulement regardé si elle l'avait rencontré dans la rue ? Aurait-elle levé les yeux ? Se serait-elle retournée sur lui ?

Elle commença à lui faire la cuisine. Elle remplissait son réfrigérateur et l'attendait chez lui. Souvent il rentrait tard de l'hôpital, le visage gris de fatigue ; ses mains sentaient le talc des gants de chirurgie. Elle était assise dans la cuisine, et elle l'attendait. Les premiers jours, elle éplucha ses tiroirs et ses étagères sans trouver la moindre photographie, le plus petit indice de son passé. C'était étrange, mais aussi rassurant. Elle n'avait à se battre contre personne, les fantômes de son passé se tenaient discrètement dans l'obscurité.

Dans sa petite armoire de salle de bains, tout à fait au fond, derrière l'aspirine et les somnifères légers, elle découvrit une boîte de Viagra. Elle était entamée, mais il ne manquait qu'un cachet. D'après la date de péremption, le médicament était déjà assez ancien. Ce paquet la troubla. Tous ses efforts avaient-ils encore un sens ?

Le soir, quand il se faisait tard, elle se couchait tout habillée dans le lit de Thomas. Elle rêvait parfois de Fritz. Que des cauchemars. Jamais il ne lui apparaissait dans un halo doré pour lui adresser un petit signe ou lui faire savoir qu'il était heureux. Non, il errait à moitié brûlé à travers leur ancien appartement en hurlant qu'il ne voulait pas mourir. Ou bien il ne voulait pas entrer dans son cercueil, se cabrait et se débattait désespérément contre des hommes vêtus de sarongs noirs qui le repoussaient et unissaient leurs forces pour tenir le couvercle fermé. Babette, pétrifiée dans un coin, assistait à la scène. Elle ne pouvait rien faire. Elle ne pouvait pas l'aider. Elle avait chaud et se sentait mal ; elle espérait que ce serait bientôt fini, qu'il voudrait se calmer enfin et se plier à son destin.

Thomas l'éveilla de ce rêve-là, et elle mit un certain temps à réaliser qu'il était nu. Étourdie, avec encore une douleur sourde au creux de la poitrine, elle le laissa la déshabiller. Elle portait la robe bleue. Il la jeta par terre. Elle était troublée, ne sachant plus exactement où elle était : dans le rêve avec Fritz, dans le lit avec Thomas, ou dans la robe. Elle redoutait de détourner les yeux de la robe bleue et de découvrir Fritz en train de la regarder faire l'amour avec un autre homme.

Tout fut différent de ce qu'elle avait imaginé, complètement brouillé et indistinct. Elle ignorait qui elle était, avec ce Thomas, qui faisait vraiment tout son possible.

Merci, finit-elle par dire.

Tu plaisantes, répondit-il.

Elle pleura sous lui, dans l'oreiller. Confus, il essuya ses larmes, elle secoua la tête. Tout va bien, balbutia-t-elle, tout va bien. Vraiment. Elle était de nouveau parmi les vivants, et c'était juste plus compliqué qu'elle ne l'avait pensé.

Tard dans la nuit, elle se glissa dans la salle de bains et ouvrit la petite armoire à pharmacie. Il ne s'était même pas donné la peine de cacher le paquet. Il manquait deux comprimés.

Elle essaya de tirer au clair si elle était blessée, vexée ou déçue de voir que manifestement son charme, sa personnalité extraordinaire, ses bas résille et la robe bleue n'avaient pas suffi à eux seuls à le séduire. Elle fouillait dans un tas de sentiments mêlés comme dans un tiroir mal rangé, et elle le rendait coupable de son trouble.

Il prenait du Viagra, ce ne pouvait donc pas être de l'amour.

Je ne comprends pas, dit Florian.

Mais si, reprend Babette en lui reservant de la camomille. En dernier ressort, il n'est jamais question que de sexe, peu importe comment, vous comprenez ? Même s'il lui a fallu un temps interminable, en définitive il ne s'agit que de ça. Vous devriez bien le comprendre…

Pourquoi donc ?

Mais parce que, chez les homosexuels, le sexe est quand même l'essentiel, non ?

Quand ce n'est pas de l'amour, répond Florian en essuyant les gouttes de sueur qui perlent sur son front. La camomille le fait transpirer.

Quand ce n'est pas de l'amour, répète Babette. Ils se taisent. La robe bleue se balance doucement dans le courant d'air de la porte ouverte sur le balcon.

Vous avez un peu de journal tchèque dans cette robe, vous le saviez ? On l'a fait coudre en Tchéquie. L'organdi se déchirait tout le temps, jusqu'au moment où Alfred a eu l'idée de faire mettre du journal dans les coutures.

Babette se lève comme sur commande pour aller examiner les coutures. Elle extrait avec son ongle un tout petit bout de papier journal.

Ensuite, nous sommes allés nous-mêmes chercher les robes, raconte Florian. Nous logions à Prague dans un vieil hôtel poussiéreux, qui faisait penser au château de la Belle au bois dormant. Les garçons en livrées rouges évoluaient au ralenti. Nous avions trois robes bleues suspendues dans notre penderie. Aucune idée de ce que les femmes de chambre ont pu penser de nous. Allongés dans un grand lit en chêne, nous avons regardé *Sur la route de Madison* à la télévision. On a pleuré comme des veaux à cause de Meryl Streep et de Clint Eastwood et de leur amour impossible, et on savait tous les deux qu'on pleurait sur nous, pas sur eux. J'ai massé les mains et les pieds d'Alfred. Il avait toujours très froid aux mains et aux pieds après les séances de chimio. Quand il s'est éveillé le lendemain matin et qu'il a trouvé ses derniers cheveux sur l'oreiller, on aurait dit un nourrisson épouvanté.

Pourquoi faut-il que ça nous arrive ? Pourquoi à nous ? Alors qu'on est le seul et unique couple d'homosexuels heureux au monde.

Malheur à toi si jamais tu me demandes encore une seule fois pourquoi, a répliqué Alfred. Je te tape dessus.

On est passés sur le pont Venceslas. Un couple de musiciens aveugles d'un certain âge s'y tenait, elle chantait, il jouait de l'accordéon. La femme portait une robe jaune à pois rouges et balançait en mesure ses larges hanches constellées de points rouges.

À force, la chimio peut aussi rendre aveugle, a déclaré Alfred en souriant, comme si je l'avais invité à prendre le thé et qu'il était en train de me faire la conversation. Tu le savais ? Ou alors on a un infarctus. Plus de cancer, mais le cœur fichu. Cette chimie qu'ils t'injectent dans les veines, c'est le gaz toxique de la Première Guerre mondiale. Pas étonnant que ça te la coupe.

Ensuite, sur le même ton de politesse, il a demandé à l'aveugle s'il pouvait prendre une photo d'elle, parce que sa robe lui plaisait beaucoup.

Elle s'est laissé faire, coquette, elle a mis un pied devant l'autre et attendu le déclic de l'appareil. On lui a acheté une cassette de sa musique. La couverture était une photocopie d'elle et de son mari, coloriée au crayon de couleur. Elle portait la même robe, mais les teintes n'étaient pas les bonnes. On a écouté cette musique pendant tout le retour à Munich. De lourdes ballades bohémiennes, qui nous ont vite fait pleurer à nouveau, tous les deux, mais cette fois c'étaient de beaux sanglots kitsch, qui ne vous déchirent pas la poitrine, des pleurs dont on sait que quand ils s'arrêteront tout ira de nouveau bien.

Oui, opine Babette, je vois exactement ce que vous voulez dire, puis ils se taisent encore en écoutant roucouler les pigeons atteints du mal d'amour.

Si seulement ils construisaient des nids corrects, reprend Babette. Mais ils charrient même des bouts de plastique sur mon balcon. Et puis ils posent leur gros derrière en plein sur mes géraniums et ils me les écrasent.

Oui, dit Florian.

Il empaquette tendrement la robe dans un sac qu'il a apporté exprès.

Vous ne devriez pas renoncer, reprend-il, telle une grand-mère qui encouragerait sa petite-fille à continuer de s'exercer au patinage. Quelquefois, ça finit quand même par devenir de l'amour.

Ah, répond-elle en faisant un signe de dénégation. J'en ai vécu un, c'est déjà beaucoup plus que la plupart des gens. Peut-être faut-il se contenter d'un amour dans sa vie. Et puis, je sais aussi tout ce qui s'ensuit : on s'installe ensemble, on lui confie la télécommande, puis on achète une seconde télévision pour ne pas se marcher sur les pieds, on fait des randonnées en montagne à l'automne, et tout le fatras des plus-très-jeunes.

Il la toise, comme pour évaluer sa taille de vêtements. Je me ferais couper la main pour ça, finit-il par lâcher, et ils se mettent tous les deux à pleurer.

Pardon, dit-elle laconiquement.

Elle se précipite sur le balcon avec un balai pour chasser les pigeons.

Je vous déteste ! hurle-t-elle au milieu des larmes. Je vous déteste ! Allez-vous-en ! Zut à la fin !

Quand elle ne prépare pas le repas pour Thomas, ils vont chez le « petit Vietnamien ». C'est comme ça qu'ils l'appellent, tous les deux : le petit Vietnamien. En fait, c'est un fast-food mais avec des toilettes et quelques tables. C'est devenu leur endroit préféré, ils l'ont découvert ; personne d'autre ne le connaît. La nourriture est bonne, mais ce n'est pas vraiment une sortie « au restaurant », ça ne prend pas d'allure officielle, ça n'engage à rien. C'est de cela qu'ils ont le plus peur : se sentir engagé l'un vis-à-vis de l'autre. Babette tient absolument à ce qu'ils paient à tour de rôle, et il la laisse faire, car il ne veut pas lui laisser espérer quoi que ce soit de plus ambitieux, plus long et plus compliqué comme un voyage en terre inconnue. Non, pas de grande expédition, il ne voudrait plus faire que de petites excursions, maîtrisables.

Ils commandent toujours la même chose, deux potages, une salade de nouilles chinoises, qu'ils se partagent, Thomas, du canard, Babette, du tofu aux légumes.

Elle partage la salade si équitablement que c'en est presque vexant. Après tout, ils ont déjà couché ensemble huit fois en moins de deux mois, après ça on n'a pas besoin d'être d'une équité aussi pointilleuse, on pourrait presque déjà considérer comme normal de piquer dans l'assiette de l'autre.

Mais non, ils gardent une certaine distance, qui certes les laisse respirer mais qui les fait aussi souffrir, tous les deux. Ils le savent, et ils ne peuvent rien y changer.

Chaque fois, Babette lui a laissé le temps de prendre son Viagra. Elle a prétendu qu'elle voulait à tout prix voir les titres de l'actualité, ou juste lire encore ces vingt pages de roman. Il faut au moins une demi-heure pour que ça agisse. Elle se demande d'où elle sait ça. Elle se souvient des plaisanteries et des rumeurs qui ont couru à l'époque où le médicament est sorti. On racontait qu'à Naples, en même temps que leurs spaghettis, les mammas italiennes fabriquaient de petits comprimés bleus en forme de losange qui ne contenaient rien du tout et qui étaient distribués ensuite par camions dans toute l'Europe. Cela faisait une nouvelle source de profit pour la mafia.

Et un ami lui avait raconté l'histoire d'un autre ami, dont l'ami attendait sa maîtresse, qui devait arriver par le train une demi-heure plus tard. Pour plus de sûreté, il avait déjà pris un comprimé, sur quoi le train avait eu deux heures de retard, et on peut imaginer dans quel état il s'était retrouvé ! Bien sûr, dans la vie réelle, personne ne prenait de Viagra. Jamais. Personne. Rien qu'à penser aux effets secondaires ! En outre, personne n'en avait besoin, n'est-ce pas ?

Il faut espérer que Thomas connaît les effets secondaires ; après tout il est anesthésiste à l'hôpital de Schwabing.

Une fois qu'il s'est endormi, elle va voir dans la salle de bains s'il a pris quelque chose ou non, et elle est vexée. La troisième fois, la boîte a disparu. Elle cherche dans tous les tiroirs, et elle se sent un peu culottée, mais aussi un peu sotte : l'ignorance ne serait-elle pas beaucoup plus agréable que la certitude ? Elle pourrait alors s'imaginer qu'elle seule a su lui insuffler le désir. Enfin, elle seule et la nature des choses, dont il est bien connu qu'elle ne fait guère de différence. Pour finir, elle trouve dans un bureau une boîte toute neuve. Il a fait des provisions, ce qui la touche d'une autre façon. C'est qu'il a apparemment encore quelque projet avec elle. En espérant que cette nouvelle boîte lui soit destinée à elle seule.

Elle est assise au salon, la boîte à la main, il dort à côté. Des voix et des rires montent de la rue, le martèlement de chaussures à talons. Un homme crie : Mais attends-moi !

Ce sera bientôt l'été.

Elle prend depuis des mois de la tisane de millepertuis, pour garder le moral et ne pas sombrer à nouveau inopinément dans le trou noir. Elle remet soigneusement la boîte de médicament à sa place.

Ce sont deux malades qui se sont trouvés. Ça n'a rien à voir avec les sentiments.

On prend des médicaments pour ne pas se jeter par la fenêtre, dit-elle tout à coup devant la salade de nouilles chinoises, en regardant Thomas droit dans les yeux.

Quoi ?

Ah ! Elle fait un signe de la main en rougissant. Juste une idée, il faudrait peut-être qu'on en parle.

De quoi ? demande-t-il, décontenancé.

Elle oscille entre tendresse et désespoir. Rien ne semble vrai, ni très clair.

Rien de grave, répond-elle, et elle le libère.

Il la regarde avec une sorte de gratitude, pose les deux mains à plat devant elle sur la table. Tu es jolie, ce soir, lui dit-il.

Ce soir, sourit-elle. Il est d'une maladresse presque touchante.

Je t'aime, ajoute-t-elle, à titre d'essai. Peut-être que ça aide, simplement de le dire. Elle déteste sa propre versatilité, ses humeurs auxquelles on ne peut pratiquement jamais se fier !

Elle pense à Florian, à sa triste tête de jeune teckel, à la robe bleue, à cette main qu'il sacrifierait pour un peu d'amour au quotidien. Elle se hait parfois, elle méprise cette perpétuelle instabilité psychologique, qui devrait pourtant bien finir par vous mettre à l'abri du mal de mer. Babette se voit entrer en titubant avec Thomas dans un appartement qu'ils habitent tous les deux, de temps en temps elle s'appuie aux murs pour ne pas trébucher. Avec le temps, elle ne s'apercevrait même plus de sa démarche titubante, au contraire, elle s'étonnerait, si jamais elle devait revenir au port, de l'instabilité de la terre prétendument ferme. Mais la terre ferme de son deuil solitaire et ennuyeux, elle veut enfin la quitter !

Qu'est-ce que tu en penses, on ne ferait pas mieux de s'installer ensemble ? demande-t-elle, et immédiatement ses mains sur la table sont prises de mouvements convulsifs, comme des poissons jetés sur la rive.

Oh ! dit-il lentement. Je ne sais pas.

Moi non plus.

Il a un sourire gêné. Je suis un peu compliqué, hein ?

Elle sourit à son tour et fait oui de la tête. Ils sont assis là, immobiles, sachant bien que maintenant ils ne peuvent plus rien ajouter sans que les fantômes du passé s'empressent de resurgir pour s'asseoir à leur table. Et alors ils parleraient, parleraient, ils ne s'arrêteraient jamais de parler, ils submergeraient Babette et Thomas, ils les acculeraient au mur, ni l'un ni l'autre ne pourrait plus placer un mot.

C'est pourquoi ils se taisent, terminent leur assiette, paient et s'en vont.

Il la reconduit à la maison, et il est bien évident qu'il ne passera pas la nuit chez elle, il ne le fait jamais. Ils se donnent un petit baiser sur la joue, il attend poliment qu'elle ait disparu dans la maison puis poursuit son chemin en courant.

Il passe devant son appartement, prolonge jusqu'au cimetière et fait ses tours dans l'obscurité. Il a toujours mal à la cheville, il ne porte pas les bonnes chaussures, mais il n'y prête pas garde. Il est plus important, beaucoup plus important pour lui, de se débarrasser de tous ces souvenirs de bonheur qui vont le prendre à la gorge, il court et court encore jusqu'à ce qu'il ne ressente plus rien, alors seulement il rentre chez lui.

Babette, couchée toute seule dans son lit, observe les rayons de lumière que les phares des voitures projettent au plafond de la chambre. Elle est perdue dans ce tumulte de sentiments contradictoires. Un bruissement sur le balcon. Un battement d'ailes. Un faible roucoulement. Elle se bouche les oreilles.

À peine une semaine plus tard, Florian rapporte la robe bleue.

Je n'en ai plus besoin, dit-il comme pour s'excuser, et il ne semble même pas vouloir entrer.

Vous avez déjà fait votre défilé à sa mémoire ?

Il secoue la tête. Je n'y arrive pas, répond-il en baissant les yeux. Du bout du pied, il trace de petits cercles sur le sol. Babette observe l'épaisseur de ses cheveux, tandis qu'il baisse la tête.

Je n'y arrive tout simplement pas, répète-t-il tout bas.

Babette tient sur le bras, comme un gros bébé, la robe dans le sac de plastique qui crisse. Elle redoute l'instant où elle va se retrouver seule. La solitude ne pose pas de problème tant que personne n'est venu puis reparti.

Je pourrais nous faire un gratin de nouilles bien tassé. Avec du Bombel prétranché.

Il lève les yeux.

On pourrait se remplir la panse, poursuit-elle, jusqu'à ne plus pouvoir ouvrir le bec.

Okay, accepte-t-il mollement.

En silence, ils s'activent dans sa cuisine étriquée sans jamais s'entraver. Florian lave la salade et hache de l'ail. Avec une parfaite aisance, ils se passent les couteaux, les tablettes et les bols, et Babette se demande comment il se fait qu'elle n'éprouve pas la moindre contrainte devant ce jeune homme parfaitement inconnu, alors qu'avec Thomas elle contracte tous les muscles de son corps comme pour une compétition sportive de haut niveau et que le moindre mouvement, la moindre phrase, lui coûte des efforts.

Le sexe – c'est ça qui fait la différence, dit Florian en grattant les dernières nouilles au fond du plat. Le sexe rend tout contraignant. Le sexe ruine tout. Le sexe est la pire invention de la planète. Sans ça, la vie serait belle et tranquille.

Ils rient.

J'ai envie de roter.

Vas-y.

Ils rotent tous les deux en riant encore plus fort.

Il prend chaque fois cette saleté de Viagra, raconte Babette. Et ça me vexe.

Mais tu serais encore plus vexée s'il ne bandait pas du tout, non ? demande Florian.

Finalement, on ne fait qu'avaler des pilules... pour l'amour, contre l'amour, pour et contre tout.

Je prends des antidépresseurs depuis la mort d'Alfred, explique Florian, rassemblant les miettes en un petit tas sur la table de la cuisine. C'est vrai que ça me donne toujours un peu mal au ventre, j'ai la tête en coton et le sexe m'est devenu aussi indifférent que le funambulisme, mais sans ça je ne saurais pas comment faire...

Qu'y aurait-il de si terrible à se suicider ? demande Babette. En fait, ce n'est qu'une question de méthode.

Seulement il ne m'en vient à l'esprit aucune qui me plaise, réplique Florian.

Oui, c'est ça le problème. Si on se pend, on a langue qui sort de la bouche, c'est répugnant ; si on saute par la fenêtre, on doit se retrouver en bas dans un état qui n'a rien de séduisant, avec le pull-over remonté, le soutien-gorge détaché, et puis on est cité dans le journal.

Tous deux soupirent.

Personne d'autre que nous n'aurait ce genre de conversation, fait-il observer.

Oui, opine-t-elle. Sans la robe bleue, on ne se serait jamais connus.

Tu vois, dit Florian, une note triomphale dans la voix, elle a effectivement changé ta vie.

Seulement, un peu différemment de ce que je m'étais imaginé. Elle pose lourdement la tête dans ses mains et regarde les taches sur sa nappe.

Mets-la, ordonne Florian sur le ton que d'autres hommes auraient employé pour dire « Déshabille-toi ».

Le bleu de la robe fait irruption tel un morceau de ciel. À pas lents et majestueux, elle va et vient devant Florian, comme sur une passerelle.

Il l'observe, les yeux brillants ; tourne-toi un peu, dit-il, et elle tourne sur elle-même, d'abord lentement, puis plus vite et encore plus vite, jusqu'à ce qu'il se lève, s'approche, la prenne dans ses bras et esquisse avec elle quelques pas de danse.

Là, dit Florian, il lui soulève le bras et montre l'emmanchure. Alfred accordait une grande importance aux emmanchures, à ce qu'elles ne soient ni trop larges ni trop étroites. Quand elles sont trop larges, il y a un horrible bourrelet sous l'aisselle. Mais quand elles sont trop étroites, ça fait des taches de sueur, et il n'y a rien de plus désagréable.

Allongés sur le canapé, ils boivent du vin, de la bière, du Cinzano, du rhum de pâtisserie, le tout mélangé. Dans une enveloppe, parmi ses bas, elle trouve encore quelques brins d'herbe. Ça ne fait guère d'effet. Ils tournent dans leur passé comme dans une spirale infinie.

Il voulait envelopper et dissimuler toutes nos faiblesses sous les vêtements, poursuit Florian d'une voix pâteuse, notre horrible misère humaine. Mais ce que j'admirais le plus, c'est qu'absolument rien de ce qui le concernait lui-même ne l'embarrassait. Ça, je l'ai vraiment admiré. C'est ce qui m'a permis de le soigner plus facilement. Il considérait toute défaillance de son corps comme une faiblesse de tous les corps, à l'instar d'une marque de voiture dont tout le monde saurait que le démarreur tombe en panne, ou comme on hausse les épaules devant un aspirateur parce qu'un jour ou l'autre tous les aspirateurs présentent le même défaut... ce n'était pas son corps, mais simplement *un* corps. Et tous les corps se transforment un jour ou l'autre en sale tas de ferraille.

Florian prend un coussin, il le serre contre lui comme s'il avait mal au ventre. Il gémit. Babette l'observe froidement. Elle est persuadée que l'enfer dans lequel il vit est plus agréable que le sien.

J'aurais en tout cas préféré soigner Fritz que le perdre aussi brutalement, sans pouvoir m'y attendre d'aucune façon, comme un coup de tonnerre dans un ciel serein, une mauvaise plaisanterie.

Tu ne peux pas savoir ce que c'est.

Non, répond Babette, mais toi non plus. Tu ne sais pas ce que c'est que de voir ta vie changer du tout au tout en un clin d'œil. Et puis rester là, comme si tu ne pouvais plus t'éveiller d'un mauvais rêve.

Pour la fin de l'année, on voulait partir loin. Très, très loin. Plus loin qu'on n'était jamais allés. Je crois que c'était mon idée. Je ne m'en souviens plus exactement, car si j'avais véritablement la certitude que c'était mon idée, je ne pourrais pas le supporter.

Dis un lieu, n'importe lequel, m'avait demandé Fritz. Nous étions au salon ; il pleuvait ; un de ces affreux bons et mauvais films dont je raffolais passait à la télévision. Bali, ai-je lancé pour mettre fin rapidement au débat. Je ne sais pas pourquoi tout spécialement ce nom a jailli de ma tête.

La sonorité me plaisait, c'était peut-être ça. Juste la sonorité d'un mot.

Bali, a répété lentement Fritz, et comme tous les soirs on a regardé la télévision de la même façon qu'on regarde par la fenêtre, avec un vague sentiment de mauvaise conscience, de ne pas savoir faire autre chose de notre vie.

Mais « autre chose », ça aurait été quoi ? Des enfants. Bien sûr. On avait essayé longtemps en vain, et on n'en souffrait pas assez pour entreprendre des efforts plus élaborés. Secrètement, on s'en était accommodés, on avait résolu de se contenter de notre vie telle qu'elle était, de vieillir dignement, sans se plaindre, et de ne pas tomber dans l'amertume.

Toutefois, je déplorais souvent le vide de notre existence, et parfois je me faisais l'effet d'être frustrée et déçue, mais je n'aurais pas su dire précisément de quoi j'étais déçue. Tout le problème était là. Je ne le savais pas.

À l'époque, je dessinais des motifs de papier cadeau, et ce qui n'avait été au départ qu'un caprice était devenu une activité professionnelle, lucrative certes mais insatisfaisante, parce que en fait j'avais suivi une formation de designer dans le textile.

Fritz me demandait tout le temps quelle différence cela pouvait bien faire de concevoir des parures de literie ou du papier cadeau. Pour moi, ça faisait une différence. Entre les draps de lit, les adultes s'aiment et les enfants rêvent, mais qu'advient-il du papier cadeau ? Alors que je m'appliquais de tout mon cœur à dessiner des oursons juchés sur des blocs de glace ou des petits lapins et des œufs de Pâques au milieu des tulipes, je les voyais déjà nerveusement arrachés des paquets, négligemment roulés en boule et jetés dans la corbeille. Mon travail n'était rien d'autre qu'un stupide produit de la société du gaspillage. Il n'y a pas plus inutile que le papier cadeau.

Avec les années, Fritz avait renoncé à me consoler ; lorsque j'allais trop loin dans mon délire, il sortait de la maison et se soûlait. À son retour, ma crise existentielle était généralement passée. Je l'aimais bien quand il était ivre, il avait alors des comportements assez imprévisibles et brutaux, par rapport à son habitude, tout au moins. Une fois, il a jeté un vase contre le mur, et une autre fois il m'a même déchiré le pull-over.

De toute la journée, je ne voyais pratiquement personne d'autre que Fritz. Ma vie se déroulait entre la cuisine, la table à dessin et le salon. Chaque après-midi, j'allais au supermarché du coin ; le mercredi soir, je suivais un cours d'informatique, pour pouvoir par la suite dessiner mes projets sur ordinateur, même si j'adorais mes crayons, la colle et le découpage – ça me rappelait la maternelle.

Tous les jours j'allais m'amuser, comme je disais quand j'étais de bonne humeur et que ne se posait pas la grande question du sens de l'existence. Fritz devait se rendre à son travail, s'habiller correctement et s'exposer au monde, alors que je m'asseyais en robe de chambre à ma table de dessin pour jouer.

Avec le temps, je me mis à redouter le monde extérieur. Il était fatigant et hostile ; de moi-même je ne mettais plus un pied dehors. Fritz me forçait à sortir. On allait au cinéma – après quoi le plus souvent on se disputait – ou au concert, où il avait régulièrement des quintes de toux. Au moins une fois par an, on partait en vacances. En Espagne ou en Italie, en France ou en Irlande. Et à Noël, on allait faire du ski dans les Dolomites.

Pourquoi ai-je dit Bali ? Quatre lettres. Passer Noël exceptionnellement non pas dans la neige mais au soleil, c'était sans doute son idée. Mais Bali, ça a été la mienne. On ne peut plus rien y changer.

Dans la nuit précédant notre départ, le 25 décembre, il était tombé plus de vingt centimètres de neige. Au matin, Fritz regarda par la fenêtre d'un air inquiet. Peut-être qu'ils ne voleront pas aujourd'hui, murmura-t-il.

Il l'a vraiment à peine murmuré tout bas, mais je l'ai très bien entendu. Je me suis même dit : Espérons qu'ils ne volent pas.

Brusquement, toute cette expédition me semblait complètement déplacée, un peu comme manger des fraises au mois de janvier. Qu'allions-nous donc faire à Bali, en pleine chaleur, sous les tropiques, au bord de la mer ?

On va prendre le bus d'avant, a dit Fritz en m'exhortant à me presser.

On est sortis, on a marché lourdement dans la neige. Il faisait sombre et un vent glacial soufflait. On ne pouvait pas imaginer se retrouver en moins de vingt heures à se rôtir sous le soleil des tropiques. Alors, je me suis aperçue que j'avais oublié ma trousse à pharmacie. Pas de trousse à pharmacie ! Nous allions mourir de dysenterie, de piqûres de moustiques purulentes, nous attraperions la fièvre et aurions des convulsions. Nous avons fait demi-tour, nous sommes allés chercher la trousse à pharmacie, nous avons manqué le premier bus, et là encore je me suis dit : On ne partira pas, on ne partira pas.

Le destin nous a offert de nombreuses chances de lui échapper. Mais nous nous sommes obstinés, nous l'avons eu à la dernière minute. *Last call for Denpasar, M. et Mme Bader sont priés de se rendre directement au comptoir d'embarquement !* a ordonné d'un ton sévère une voix au-dessus de nos têtes, et nous avons obéi, nous nous sommes précipités jusqu'à la porte, tout essoufflés et dégoulinants de sueur.

On nous a embarqués dans le Jumbo de la ligne indonésienne Garuda avec des enfants titubant de sommeil, pressant contre eux leur peluche, des mères qui avaient l'air épuisées et des pères levés du mauvais pied.

Fritz était excité comme pour une excursion scolaire. Il s'est mis tout de suite à parler d'abondance avec les hôtesses, pareilles à des elfes avec leurs silhouettes de rêve, leurs cheveux noir d'ébène et de grandes bouches maquillées de rouge. J'ai senti mon cœur défaillir. À Bali, elles ressembleraient certainement toutes à ça.

Fritz m'a galamment fait asseoir côté hublot, de façon à mieux voir les elfes. J'ai gonflé mon oreiller anatomique, qui faisait comme une minerve et me donnait un air petit-bourgeois déplaisant. Je ne voyais plus Fritz. Je m'agitais désespérément sur mon siège pour trouver une position confortable. Au décollage, il m'a pris la main. J'ai essayé de poser la tête sur son épaule, mais ce n'était pas possible, à cause de la minerve. Je suivais sur les écrans la petite flèche blanche qui se déplaçait sur la carte pour indiquer le trajet de notre avion de Francfort autour du monde. Pourquoi avions-nous voulu bouger, qu'en espérions-nous ? Pourquoi devrait-il se passer à Bali des choses qui ne se passeraient pas à la maison ? Je ne pouvais poser cette question à Fritz, parce qu'il y aurait trouvé une réponse horriblement banale, il se serait exclamé : Là-bas, le soleil brille, nom d'un chien !

Je supporte mal la chaleur. Souvent, pour rire, il me traitait d'animal à sang froid.

On nous a servi le repas, et bien que je me fusse promis de ne quasiment pas y toucher afin d'entrer dans mon maillot de bain, à côté des elfes d'Indonésie et de leur corps d'enfant plus rien n'avait d'importance. En un clin d'œil, j'ai tout ingurgité et avalé par-dessus le marché la crème à la cannelle de Fritz. Après, je ne me sentais pas bien du tout. Fritz a commandé sa troisième bière et pris une expression de parfait contentement.

Ah, a-t-il soupiré voluptueusement, les voyages, c'est merveilleux, tu ne trouves pas ?

J'ai faiblement acquiescé de la tête, alors que je me languissais déjà de la sécurité de ma place devant la table à dessin, avec vue sur le sapin bleu, juste devant la fenêtre, et sur les mésanges dans les branches.

Fritz m'a pris la main et l'a pressée délicatement.

J'ai regardé sa main maigre et pâle. Elle m'apparut tout à coup très vieille. Quand cette main avait-elle tant vieilli ? Elle me répugnait, et en même temps je la trouvais émouvante. Je ne sais pas si après ça il a jamais repris ma main. Mais je sais qu'elle était là, posée sur la mienne, et que j'ai brusquement réalisé comment ce serait de vieillir avec lui. Ce serait plein de tendresse et un peu suffocant. Pas beaucoup, mais assez pour qu'il faille de temps en temps ouvrir grand une fenêtre et crier très fort quelque chose de bizarre, du genre : Les moineaux au pouvoir ! Ou : À bas les enquiquineurs ! Cette vieille du troisième étage qui crie toujours des trucs marrants. Elle est folle, non ! Je refermerais la fenêtre en gloussant, Fritz serait assis dans son fauteuil et hocherait la tête en me regardant avec un sourire moqueur, comme d'habitude, comme tout au long de notre vie commune ; et après je lui préparerais un velouté de tomates, avec lequel il se ferait une tache sur la chemise. Ça ressemblerait à ça.

Je fermai les yeux. Quelques minutes plus tard, c'est l'impression que ça me fit, il me secouait.

On va atterrir à Singapour ! s'exclama-t-il tout content.

J'ouvris péniblement les yeux. Ma tête tournait, j'avais mal à l'estomac et trop chaud.

Tu as dormi dix heures, me dit Fritz d'un ton de reproche. Mets tes souliers.

Il ramassa sous le siège de devant mes bottes de cowboy, qu'il eut toutes les peines du monde à enfiler à mes pieds gonflés. N'aurions-nous pas pu porter des chaussures de tennis, comme tout le monde ? À moitié plié sous mon siège, il finit par me mettre les bottes et se redressa le visage écarlate, tout essoufflé. Il s'occupait souvent de moi comme d'une enfant capricieuse. En général, j'aimais beaucoup ça, mais parfois ça me tapait sur les nerfs. Je me levai.

Où vas-tu ?

Il faut que j'aille aux toilettes, répliquai-je d'un ton bourru, et je me faufilai devant lui.

Mais on va atterrir tout de suite.

Je me glissai devant lui sans répondre et m'acheminai vers les toilettes, qui étaient occupées. J'attendis une éternité et finis par frapper à la porte. Il ne se passa rien. J'étais sur le point de m'adresser à l'hôtesse pour lui demander son aide lorsqu'on tira le verrou et qu'un Chinois, très grand et assez costaud, sortit.

Contrariée par l'attente, je le regardai bien en face ; il avait un visage d'une étonnante beauté et me sourit si gentiment qu'involontairement je lui souris à mon tour.

Un nuage d'après-rasage au frais parfum citronné s'exhala de lui et flotta vers moi. Je le respirai avidement sans cesser de le contempler. Ses cheveux noirs se dressaient en une brosse humide autour de sa tête ronde, comme si dans ces minuscules toilettes il s'était lavé de la tête aux pieds. Cela lui donnait quelque chose d'insolent, de jeune, qui, compte tenu de sa corpulence, le rendait à la fois intrigant et rassurant ; je ne pouvais détacher mon regard de lui : c'était là que se trouvait mon autre vie, celle dont j'avais rêvé jour après jour sans le savoir, devant ma table à dessin, comme on rêve d'une robe neuve.

Il me tint la porte, et je souriais encore après avoir fermé le verrou derrière moi. Je sentais de l'air sous mes pieds, comme si je restais suspendue à travers l'espace infini de la même façon que l'avion. Je m'accrochai des deux mains au lavabo, souriant au miroir d'un air stupide, jusqu'au moment où je m'aperçus que j'avais une tête épouvantable, gonflée et d'une pâleur terne, les cheveux en broussaille, hirsutes.

Le Chinois avait laissé un petit tube de dentifrice, je m'en écrasai une pastille sur l'index et me frottai les dents, comme avec une pâte magique. J'extirpai mon rouge à lèvres de la poche de mon pantalon ; quand je l'eus mis, je me sentis un peu moins déplaisante. Je me peignai les cheveux avec les doigts avant d'esquisser un sourire charmeur.

Je repassai entre les rangées de sièges en le cherchant du regard, et quand je le vis je réalisai avec surprise que mon cœur battait à tout rompre. Il leva les yeux. Une légère turbulence me fit perdre l'équilibre. Il sourit et leva alors la main, comme si nous étions de vieilles connaissances. Un autre petit trou d'air me força à m'agripper à son siège. Sans le vouloir, je me penchai profondément au-dessus de lui. Il me regarda bien clairement au fond des yeux ; de nouveau je sentis son parfum citronné, il m'attrapa le bras pour me soutenir et m'empêcher de m'affaler sur ses genoux.

Thank you, dis-je en rougissant.

Il sourit. Je voyais chacun des petits poils de ses épais sourcils noirs, et ma propre image dans ses pupilles sombres. C'était moi, dans une tout autre vie. Je vivais avec lui à Hong Kong, à Singapour, à Shanghai, à Pékin. J'achetais des légumes exotiques sur des marchés sur-peuplés, je portais des robes de soie et allais au travail à vélo parmi des milliers d'autres, par une large avenue, aussi large qu'une autoroute. Le soir, mon mari chinois rentrait à la maison, et après le dîner nous faisions une partie de mah-jong avant de nous écrouler dans un lit où il me tenait la main dans son sommeil. Ma vie était astreignante mais semblait aller de soi, sans le moindre doute. Apparemment j'étais heureuse, je possédais une sorte de clarté lumineuse, comme si on avait braqué sur moi le faisceau d'une lampe de poche.

Je me redressai, effrayée, me détachai de lui et, troublée, retournai à ma place en titubant.

À l'étape de Singapour, j'étais un peu abasourdie, plantée sur l'épaisse moquette de la salle réfrigérée de l'aéroport, tandis que des flots humains en provenance de tous les continents défilaient devant moi tels des bancs de poissons aux couleurs vives. Dans l'une des innombrables boutiques d'électronique, Fritz s'acheta un podomètre, qui compterait désormais les pas et les kilomètres de ses marches matinales. Exultant, il me montra avec quelle précision ce petit appareil fixé à son mollet comptait le moindre de ses pas.

C'est complètement dingue, s'exclamait-il émerveillé, comment ce petit truc sait-il combien de pas je fais ?

Sans bruit, il partit sur la moquette avec ses bottes de cow-boy. Je le regardai s'éloigner et me demandai ce qui se passerait si je me perdais à Singapour. Le vertige me prit, je posai soigneusement un pied devant l'autre et suivis les jambes de pantalon bleues de Fritz et son podomètre.

Cent douze pas pour revenir à la porte, compta-t-il à voix haute, puis il regarda d'un air angoissé l'affichage numérique. Cent douze ! clama-t-il, subjugué. Incroyable, non ? Betti ! C'est pas formidable ? !

J'opinai faiblement. Il me planta un baiser sur la joue.

Tu es un peu étourdie par l'avion ?

Mmm !

Qu'est-ce que tu sens ?

Le parfum, répondis-je grossièrement.

Dans une boutique détaxée, je m'étais aspergée d'un parfum qui fleurait légèrement la mandarine. Les agrumes s'accordent, j'avais mon plan. À peine l'avion reparti et les signaux lumineux pour attacher les ceintures éteints, je quittai mon siège.

Il faut encore que tu ailles aux toilettes ?

Fritz se leva de mauvaise grâce afin de me laisser passer. Je respirai profondément, me faisant par avance une arme de l'idée qu'il était sans doute descendu à Singapour ; mais je découvris bientôt son épaisse brosse noire dépassant de la rangée de sièges et passai lentement devant lui, de manière qu'il pût me voir et respirer mon odeur de mandarine. Je jetai un coup d'œil par-dessus son épaule, pas de trou d'air cette fois pour me venir en aide, il fallait poursuivre mon chemin, sinon ça deviendrait embarrassant. Il lisait un journal et ne m'avait pas vue. Je restai une minute de rigueur aux toilettes à me regarder dans la glace en hochant la tête. Quelle idiote ! Qu'est-ce que je faisais là, en fait ? Je jouais à un jeu stupide, avec des occasions manquées qui n'en étaient pas vraiment. Je ne voulais pas réellement sortir de ma vie, je ne voulais pas vivre dangereusement, je l'aimais, mon Fritz.

Grosse imbécile, me dis-je.

À mon second passage, il ne leva pas les yeux de son journal. Je me sentis envahie d'une grande déception, comme si j'avais échoué à un examen.

J'essayai de dormir encore un peu, mais je ne trouvais aucune position assez confortable. En outre, pendant que j'étais aux toilettes, Fritz s'était emparé de mon oreiller orthopédique. Il ronflait légèrement, la bouche entrouverte, et en vérité cela lui donnait un air tout à fait touchant. À l'observer ainsi de très près, il était même séduisant. J'avais découvert ce truc depuis longtemps. Le gros plan lui donnait du charme. J'aimais sa bouche charnue, ses poils de barbe naissants, bleu-noir, son nez droit, un nez grec.

Je lui fis un petit baiser. Alors il ferma la bouche et soupira dans son sommeil. Par le hublot, je voyais au-dessous de moi les îles indonésiennes comme des coussins verts sur un grand tapis bleu. Java, Sumatra, Bornéo, Kalimantan, Lombok, Bali. Des noms qui semblaient tirés d'une langue enfantine. Denpasar, la capitale, ne sortait jamais au jeu des villes, des pays et des fleuves. Düsseldorf, Dublin, Delhi, oui – mais jamais Denpasar.

Les pieds enflés, je me traînai péniblement jusqu'au tapis à bagages en fixant d'un regard vide les valises et les sacs qui défilaient devant nous. Le sac de Fritz ne tarda pas à arriver, mais ma valise se faisait attendre, ce qui ne m'étonnait pas outre mesure puisque j'étais toujours et partout la dernière.

Épuisée, je m'épongeai la sueur du front avec la manche de mon tee-shirt. J'exhalais un léger parfum de mandarine. Je cherchai des yeux mon Chinois, mais ne le vis nulle part. *Mon Chinois*, pensai-je, et je me fis moi-même sourire.

La voilà ! s'exclama Fritz. Il s'empara de ma valise verte, toute neuve, et la posa sur le chariot. Les portes électriques s'ouvrirent ; une bouffée d'air humide et brûlant nous cingla le visage comme un linge mouillé. En l'espace de quelques secondes, je me sentis toute poisseuse et deux fois plus grosse, on aurait cru que l'humidité me faisait gonfler. Un Balinais d'un certain âge, vêtu d'un sarong rouge et or, s'approcha de nous et répéta notre nom à plusieurs reprises, à voix basse et en souriant, jusqu'à ce que nous ayons compris.

En un tournemain, on s'est retrouvés dans un taxi imprégné d'une mordante odeur de transpiration, et on nous a conduits à notre hôtel.

Je ne sais pas ce que je m'étais imaginé, mais à part le fait qu'on conduisait à gauche, le décor ne paraissait rien avoir d'extraordinaire. De monotones haies de verdure alternaient avec des boutiques ouvertes où l'on vendait des meubles, des Mobylettes, des réfrigérateurs et des postes de télévision ; de grands panneaux publicitaires vantant les charmes de périlleuses sorties en radeau et des réserves ornithologiques gâchaient le paysage ; une foule de motos et de minibus empestait l'atmosphère.

Puis la nuit tomba tout d'un coup, comme si quelqu'un avait actionné un commutateur.

Nous avons quitté la bruyante artère principale pour une petite rue latérale où l'on vendait des objets artisanaux dans des échoppes mal éclairées. Tous les poissons et les fruits, les tulipes sculptées, les serre-livres en forme de chat ou de grenouille, bien connus des boutiques de cadeaux européennes, les petits souvenirs bon marché et inutiles, achetés à la dernière minute, que l'on enveloppait ensuite dans du papier cadeau.

J'ai soupiré, et au même instant le taxi a freiné à fond, m'envoyant me cogner le front contre l'appui-tête du siège avant. En me redressant, j'ai vu à la lumière des phares la peau blanche d'une jeune fille blonde, en short et haut de maillot deux pièces, qui agitait les bras pour se faire pardonner.

Tourist, pesta le chauffeur, *they no look.*

On roule à gauche, observa Fritz, tu as intérêt à faire attention quand tu traverses la rue !

Sur mon front poussait une douloureuse bosse, que je tâtais doucement du bout des doigts.

Montre, me dit Fritz. Je me détournai, mais il posa sa main brûlante sur mon front.

Holà ! s'exclama-t-il, ça va devenir énorme. Tu n'auras qu'à la toucher quand tu traverseras, au moins tu t'en souviendras ! Il faut regarder d'abord à gauche, puis à droite.

Agacée, j'enlevai sa main couverte de sueur et me détournai de lui. Je vis, de l'autre côté de la rue, la jeune fille blonde bavarder avec un Balinais aux cheveux longs.

Nous avons tourné encore une fois sur un chemin cahoteux et sombre, pour arriver à une réception faiblement éclairée, sous un toit de bambou.

Deux hommes, en sarong rouge et or eux aussi, se sont approchés du taxi, ils ont ouvert les portes et dit à voix basse sur un ton mollement chantonnant : *Welcome to the Frangipani Hotel.*

Je suis descendue, avec l'impression de n'être pas tout à fait éveillée. L'air chaud et moite avait un doux parfum, les cigales chantaient à travers le silence, l'un des hommes se dirigea vers un gong géant et le frappa pour nous saluer. Le son se propagea dans l'obscurité telle une créature vivante.

Entre-temps, on avait chargé nos bagages sur une petite brouette. Nous avons suivi un étroit sentier jonché de fleurs blanches de frangipanier. Je me suis penchée vers une de ces fleurs pour en inspirer le lourd parfum. Brusquement, le chemin s'ouvrit sur une grande piscine qui se détachait dans l'obscurité comme un œil bleu géant. Juste au-delà, j'aperçus l'éclat blanc de l'écume des vagues déferlantes, et au-dessus, une étonnante quantité d'étoiles.

L'homme en sarong s'est arrêté devant une hutte de bambou, il a ouvert une porte très étroite, artistiquement sculptée, et nous a priés d'entrer. La porte était si étroite qu'il fallait s'y glisser de biais, l'homme a souri et a fait remarquer avec indulgence : *Balinese door.*

La hutte était étonnamment spacieuse à l'intérieur, avec une baignoire bleu clair au milieu d'une pièce entièrement lambrissée. Pas de vitres aux fenêtres, juste des moustiquaires devant les ouvertures. Dans le petit jardin devant la porte poussaient de gigantesques bananiers aux fleurs jaune orangé qui semblaient en plastique.

Okay ? s'est enquis l'homme. Nous avons souri et fait un signe de tête en silence, il nous a tendu la clef et s'est retiré.

Alors ? a demandé Fritz, tout fier.

Magnifique, lui ai-je répondu sincèrement.

Purement et simplement magnifique, a répété Fritz, approuvant d'un air satisfait, et il s'est laissé tomber sur le lit avec un soupir. Quelques secondes plus tard, il était endormi. Il s'est tourné sur le côté, a replié les jambes comme un enfant, portant toujours ses bottes de cow-boy. Il paraissait petit et fragile dans cette position. Dix ans plus tôt, je l'avais choisi précisément parce qu'il ne faisait pas peur et qu'au cours de ma liaison précédente avec mon gaillard de professeur de gymnastique, je m'étais régulièrement fait taper dessus. Cet enchaînement me paraissait parfois un peu inquiétant : dans quelle mesure ne choisissions-nous pas nos amis et amants par réaction aux amis et amants antérieurs ? Jusqu'à quel point nos actes étaient-ils déterminés par pure réaction à ce qui s'était passé avant ? Une maille s'accrochait-elle simplement à l'autre, qui n'aurait pas pu exister sans la précédente, comme les mailles d'un pull-over ? Le pull-over de mon existence avait au départ un motif embrouillé et irrégulier, en revanche le dernier grand morceau était bien tricoté, tout à l'endroit.

J'étais parfaitement éveillée. Entre les feuilles des bananiers circulaient de petits animaux que je ne connaissais pas. Les oiseaux produisaient d'étranges cris perçants, les geckos grimpaient le long des murs en poussant leur cri, une grenouille coassait tout à côté.

Je m'assis sur le fauteuil d'osier, sous la véranda, pour écouter ces bruits inconnus. J'entendais dans le lointain le son d'un xylophone. Un orchestre gamelan, comme je l'avais appris dans le guide de voyage, avec son étrange musique pentatonique, monotone, qui ressemblait à une mélopée hypnotique de fumeurs de haschisch.

Ma peau blanche luisait dans l'obscurité. Je me croyais transportée dans le fameux tableau du Douanier Rousseau *Le rêve*. Au lieu d'un lion, c'était Fritz qui me protégeait. Je sentis très nettement que mon regard s'était détourné de lui et que, depuis un moment déjà, je regardais dans le lointain. J'en éprouvai une certaine tristesse, mais sans doute était-ce parfaitement normal, au bout de dix ans de mariage. Mais cela ne rendait pas la chose moins triste.

À ma montre, que je n'avais toujours pas mise à l'heure locale, il était deux heures de l'après-midi. Je me voyais en Allemagne à cette heure-là, parcourant les allées du supermarché pour jeter dans le chariot, tous les jours, les mêmes produits. J'avais du mal à me représenter que cette personne – moi – se trouvait actuellement de l'autre côté de la planète, arrachée à sa petite existence bien réglée. Son corps était sous les tropiques, mais son esprit, dans un supermarché allemand en train de se demander pourquoi un poulet entier coûtait toujours moins cher que deux blancs.

En ouvrant ma valise verte, je ne reconnus pas mes vêtements. J'eus tout d'abord l'impression d'être obligée de me concentrer pour me souvenir de ce large pantalon de coton blanc et de la chemise bleu clair, jusqu'au moment où je commençai à me douter que la valise n'était pas la mienne.

Dans un premier temps, je fus prise de panique : qui étais-je sans mes vêtements ? À quoi allais-je ressembler dans les deux semaines à venir, sans aucune de mes affaires ? Puis la curiosité l'emporta. Je plongeai précautionneusement les mains dans la valise inconnue et sondai son contenu comme si c'était un trésor.

Je vis apparaître des caleçons taille L, donc un homme assez costaud, des tee-shirts en coton blanc à manches kimono, qui étaient assortis au pantalon et évoquaient un peu les costumes de karaté ou de judo, un nécessaire de toilette avec un rasoir électrique, de l'aspirine, une brosse à dents, du dentifrice et de la crème solaire, un bâton de déodorant, ce que j'enregistrai avec plaisir, car un homme qui utilise du déodorant ne peut pas être fondamentalement antipathique. Il m'importait que ce tas d'objets intimes étrangers provienne d'un individu au moins passablement agréable. Je déballai un maillot de bain gris, correct, des sandales de bain pointure 46. Tout au fond, je trouvai encore quatre livres, tous des romans – merveilleux, un homme qui lisait des romans ! –, trois en anglais, un en chinois. Chinois ! Mon Chinois. Une idée folle germa au fond de moi.

Sur l'étiquette de la valise était inscrit : Zi Wang Shun, Neusserstr. 37, Cologne. Avec l'indication d'un numéro de téléphone à Cologne. Un Chinois de Cologne. Mon Chinois. J'avais son adresse et son numéro de téléphone. Je pouvais prendre contact avec lui à tout instant. À tout instant. N'importe quoi. Il y avait un milliard de Chinois dans le monde, dont une moitié de femmes, et certainement plus d'un demi-million d'hommes possédaient une valise verte. Tout ça ne rimait à rien.

Je m'extirpai des vêtements trempés de sueur que je portais depuis plus de vingt heures et m'avançai nue sous la véranda, dans l'air doux et lourd. Un coup de vent secoua les plantes, des fleurs de frangipanier tombèrent sur le sol tels des mouchoirs blancs. Il se mit à pleuvoir. Non pas la pluie fine et silencieuse à laquelle j'étais accoutumée, mais une averse tapageuse et violente, comme si on avait ouvert une pomme de douche géante. Je tendis un bras sous les trombes d'eau, puis une jambe, et je finis par sortir toute nue sous la pluie étonnamment chaude. Les grosses gouttes éclataient sur ma peau telles de petites bombes. Elles s'abattaient avec une telle force que je ne pouvais plus ouvrir les yeux sous l'impact. Je ris très fort. Heureuse comme un enfant.

Mais qu'est-ce que tu fais ? me demanda Fritz.

Je rentrai sous la véranda et m'ébrouai à la manière d'un chien.

La pluie est chaude, dis-je.

Tu es folle. Il bâilla. Si quelqu'un te voit.

Tu vois quelqu'un ?

Il me regarda en hochant la tête, mais avec bienveillance.

Viens, déshabille-toi ! Viens ici ! Je le tirai par le bras mais ne comptais pas qu'il se joigne à moi. Notre accord tacite stipulait que j'avais le droit de me montrer un peu excentrique, et il s'en réjouissait.

Sans un mot, il alla me chercher une serviette. Nous nous assîmes sous la véranda, à écouter ensemble la pluie et le cri des geckos. Un moment de bonheur et de paix. Notre dernière soirée ensemble. Je suis contente d'avoir ce moment, comme une bille dans un coffret, que je peux sortir et contempler encore et encore.

En fait, j'aurais dû expliquer à Fritz la confusion entre les valises, mais les minutes passaient sans que j'ouvre la bouche, jusqu'au moment où il dit : Je vais dormir encore un peu. Alors je le laissai retourner au lit, attendant qu'il se soit rendormi pour me consacrer à nouveau à la valise inconnue.

Dans une poche extérieure, je trouvai une minuscule boîte d'aquarelles avec un bloc de papier à dessin, ce qui me toucha. Je découvris aussi des cachets contre les brûlures d'estomac, un portable, quelques pellicules non exposées, qui faisaient du propriétaire un touriste tout à fait banal. Je le voyais devant moi, mon Chinois, très exactement en ce moment, planté devant ma valise, décontenancé, inspectant mes dessous qui n'avaient rien de très affriolant. L'idée me fit tressaillir. Mes tee-shirts, mes inscriptions stupides, les vieilles robes informes et délavées, mes chaussures à talons hauts et la robe en soie pour la Saint-Sylvestre, ma crème dépilatoire. L'image qu'il devait se faire de moi n'aurait pas pu être pire. Je me penchai profondément sur la valise et crus percevoir une légère odeur de citron.

Pas de doute. Je le voyais sourire, comme il m'avait souri dans l'avion, je répondais à son sourire, et c'est avec ce sourire aux lèvres que je m'affalai sur le lit à côté de Fritz et m'endormis.

Florian tire sur l'ourlet de la robe bleue et arrache résolument un fil qui pend. Tu ne l'as pas trompé. Tu y as seulement pensé.

Quelle différence ? demande Babette, qui se lève, quitte la robe bleue en la passant par-dessus la tête, sans penser une seule seconde qu'elle est en train de se déshabiller devant un homme pratiquement inconnu. Et il faut que je m'en arrange, je dois vivre avec ça jusqu'à la fin de mes jours.

Tu ne pourrais pas faire encore un peu plus de théâtre, non ? Il lui tend le sweat gris élimé. Va vite te recouvrir la tête de cendres, comme il se doit pour une veuve en grand deuil.

Veuve, répète-t-elle lentement. Ce mot, on dirait un corbeau noir, un sapin lugubre dans un paysage de neige.

C'est bien ce que tu es, observe Florian.

Et toi ? Toi aussi, hein !

Elle lui sert un Chivas Regal, double d'emblée puisqu'il semble établi qu'ils vont se soûler. Florian prend le verre, le boit d'un trait et retourne à la cuisine. Elle l'entend remuer des ustensiles, fouiller.

Tout à coup, elle sent une profonde douleur dans la poitrine, des coups de couteau qui lui coupent le souffle. Est-ce le début d'un infarctus ? Une embolie pulmonaire, une colique néphrétique ? Ses connaissances en anatomie sont pitoyables, elle met un moment à comprendre. Chaque fois elle tombe dans l'erreur de chercher une cause physique à ces douleurs, qui sont effectivement d'ordre purement physique, mais c'est le souvenir qui fait si mal : jamais plus elle n'entendra Fritz heurter des ustensiles dans la cuisine. Depuis un an, elle a déjà avalé beaucoup de *jamais plus*, mais ce tintement des ustensiles, elle l'avait complètement oublié.

Oublié, le joyeux vacarme dans lequel Fritz rangeait la cuisine, tandis qu'elle terminait un travail. Les mêmes bruits, très exactement les mêmes sons, comme si Florian suivait une partition. Ouvrir le tiroir, refermer le tiroir, trier les couverts, laver la marmite, poser la poêle, ouvrir le tiroir, refermer le tiroir. Kling, klang, kling, kling, kling. Elle se bouche les oreilles en gémissant, et comme cela ne sert à rien, elle se lève et va à la cuisine. À peine voit-elle Florian que la douleur s'apaise. On apprend à lutter, comme les patients atteints de longue maladie apprennent à vivre avec des douleurs chroniques. Florian se tourne vers elle, une cuillère à pot à la main. Où la mets-tu ?

Elle hausse les épaules. Peu importe, répond-elle.

Florian jette la cuillère en l'air et la rattrape. C'était la première fois que je refaisais la cuisine, dit-il avec un timide sourire. Que je remuais avec une cuillère autre chose que l'essiac.

Comment ?

Essiac. E-S-S-I-A-C, articule-t-il lentement, puis il se tait et regarde fixement devant lui.

Elle lui enlève la cuillère de la main et lui en donne un petit coup sur le bras pour s'amuser. Allez, raconte, dit-elle.

Il se tait. Seul le frémissement de sa chemise sur sa poitrine le trahit.

Allez, reprend Babette.

Il sourit à moitié et se détourne d'elle. Tous les soirs, je lui préparais une drôle de potion, explique-t-il alors.

Ça s'appelle essiac, et c'est le nom inversé d'une infirmière canadienne qui s'appelait Renée Caisse. Les Indiens lui avaient fait connaître des herbes dont ils prétendaient qu'elles soignaient le cancer. Elle a effectivement obtenu quelques résultats.

Je ne sais plus du tout qui nous en avait parlé à l'époque. En tout cas, on n'en trouvait pas en Europe. Un ami d'ami qui travaillait comme steward à Delta Airlines nous l'avait rapporté des États-Unis. C'était une décoction nauséabonde qui devait mijoter douze heures pour que se forme au fond le dépôt bourbeux censé exercer l'action anticancéreuse. Alfred en avait horreur, mais pendant des mois je lui ai instillé ce truc trois fois par jour avec une pipette. Et c'est juste pour moi, pour me venir en aide dans mon désarroi, qu'il consentait à l'avaler.

75

Sinon, je ne pouvais rien faire pour lui...

Il était le soldat qui part faire une guerre absurde, mais ne remet jamais en question le fait d'être soldat parce que c'est tout simplement son métier ; et moi j'étais la femme qui pleure et se lamente. J'étais la mauviette et lui, le héros. Et plus il s'affaiblissait, plus il devenait héroïque, alors que moi, avec mon maudit corps en bonne santé, je tremblais de peur.

Soir après soir, je suis resté là à tourner ce bouillon comme une préparation de sorcière. Ce qui vient des Indiens ne peut pas être mauvais, me disais-je. Je tournais dans ce bouillon tous mes vœux et toutes mes prières. Avec le succès que l'on peut voir. Ce qui a vraiment ruiné les effets de la préparation, ç'a été le commissionnaire.

Le steward, murmure Babette.

Le steward, répète Florian.

Le Chinois, lâche Babette.

Le steward et le Chinois, dit Florian en rangeant tout doucement et avec précaution la cuillère dans le tiroir.

Le steward était un tout jeune homme, il n'avait pas vingt-cinq ans, de Timmendorf sur la Baltique, blond comme les blés, avec des yeux bleus, pas du tout mon type. Il portait son uniforme débile de Delta Airlines la première fois que je l'ai vu. Nous avions rendez-vous à l'aéroport ; ils sortaient par bandes, les pilotes et les stewards, tous soignés et coquets comme dans les pages d'une mauvaise revue porno homo.

Andi, le voilà donc, avec vingt pochettes d'essiac dans ses bagages. Je lui ai donné l'argent, il était pressé parce que le bus de l'équipage allait partir en ville et ne voulait pas l'attendre. Il n'avait pas de quoi rendre la monnaie, personne n'avait de monnaie, le bus est parti et Andi est resté. J'aurais pu lui laisser l'argent qu'il ne pouvait pas me rendre, ou lui faire crédit, mais nous nous sommes cramponnés tous les deux à cet argent comme deux chiens à un os. Nous savions déjà que c'était notre droit d'entrée dans un espace où nous unirions nos corps en silence, sans savoir pourquoi ni à quoi bon.

Il y avait une sorte de panique dans la façon dont nous nous sommes jetés l'un sur l'autre. Je n'ai pas su sonder exactement sa peur cachée, je ne voulais du reste rien en savoir. C'était un garçon très solitaire, qui passait sa vie dans les nuages et dans les hôtels. À force de voler, il ne savait plus très bien où il se trouvait, et moi j'étais un naufragé qui voulait à tout prix regagner la terre ferme des vivants. J'avais le désir d'un corps qui ne fût pas en train de périr, qui ne fût pas là pour me rappeler constamment le caractère éphémère de toute vie. Et puis il y avait des raisons tout à fait banales. La chimiothérapie avait rendu Alfred impuissant. Il l'avait constaté avec étonnement mais sans frayeur particulière : le constat d'une défaillance de plus ; simplement, il se faisait du souci pour moi et me priait régulièrement de n'avoir sur ce point aucun scrupule à son égard.

Qu'est-ce qu'on dit dans un moment pareil ? Bien sûr : Comment peux-tu penser ça ? Jamais de la vie, je ne le ferai jamais. Je suis sûr que tout le monde dit ça. Est-ce imaginable, quelqu'un qui dans une situation pareille dirait : Oui, c'est vrai. En fait, tu as raison, alors salut, à plus tard. Je vais me trouver quelqu'un en vitesse, ça ne prendra pas longtemps.

Ça ne prenait vraiment pas longtemps. Toujours la même chambre à l'hôtel Holiday Inn ; par la suite, je n'allais plus le chercher à l'aéroport, on se retrouvait directement là-bas.

Je montais dans l'ascenseur avec des représentants de commerce ivres, je parcourais les longs couloirs sinistres, je frappais à sa porte, il m'ouvrait en souriant, il portait parfois encore son uniforme que je trouvais sexy d'une façon assez désagréable, comme sans doute les filles et leurs officiers. Il me servait un whisky du minibar, on échangeait quelques phrases, il me racontait des incidents insignifiants sur ses vols, une femme obèse restée collée sur les toilettes, un homme qui avait fumé en cachette et avait été arrêté par la police à la descente d'avion, un acteur allemand qui faisait du tapage, à qui il avait versé un calmant dans le champagne. On riait, et tout en riant on commençait à s'embrasser. Un ou deux baisers convenables, et puis c'en était fini de toute cette prétendue civilisation, la suite était sauvage, éperdue, emplie de l'espoir d'une délivrance. Et on y parvenait réellement, pour quelques instants.

Après on se levait, comme après un combat, on se douchait, il me donnait l'essiac, je lui donnais l'argent – bien à propos – et je m'en allais sans prendre congé. Quelques minutes plus tard, j'entrais dans notre appartement en criant : Salut, Nacho, me revoilà. Alfred était allongé sur le canapé, il avait déjà vu le bulletin d'information, les jeux télévisés et la soirée Théma sur Arte, il me faisait un petit signe de la main. Même lorsqu'il s'était endormi, il s'éveillait et levait la main pour me faire un signe.

Ah ! enfin, disait-il. Je commençais à penser qu'il fallait s'inquiéter.

Non, non, qu'est-ce que tu vas croire, et j'étais déjà dans la cuisine à verser l'herbe verte puante dans la marmite. Je tournais, tournais et tournais cette soupe, et je souhaitais de toutes mes forces que les choses s'arrangent et que nous puissions à nouveau mener une existence ennuyeuse où il ne se passerait rien. En même temps, je me demandais si je ne préparais pas de si grandes quantités d'essiac uniquement dans le but de repartir chercher du ravitaillement.

Babette fut éveillée par un bruit de frottement, dont le rythme restait constant et qui se rapprochait lentement. Il y avait là quelqu'un qui balayait les allées avec une méticuleuse application. Toujours au même rythme. Vouch, vouch, vouch. Un oiseau produisit un cri ressemblant à une sonnerie de portable. D'une main, elle repoussa le lourd rideau sur le côté. La lumière frappa sa rétine comme un coup de couteau. Elle recula, effarée, clignant des yeux sous la luminosité des tropiques. Des fleurs d'hibiscus rouge sang se détachaient sur les feuilles vert sombre. Un papillon de la taille d'une soucoupe voletait. Éblouie, Babette referma les yeux. Le matin, elle pouvait supporter une petite pluie grisâtre, mais pas cette indiscrète opulence tropicale. Elle entendit Fritz sortir des toilettes, et lorsqu'il s'approcha et s'arrêta devant son lit, elle sentit l'odeur forte de son sommeil.

Il la regardait avec stupéfaction. Sa femme était là, nue et splendide comme la maja de Goya. L'air du ventilateur au plafond jouait avec une de ses mèches sur la tempe. Sa peau brillait d'un plein éclat dans la claire lumière. Peut-être pourrait-il obtenir d'elle un peu d'amour. Pas tout de suite, pas le matin, elle était le plus souvent de mauvaise humeur, mais cet après-midi, au plus fort de la chaleur il vaudrait mieux qu'ils se tiennent à l'abri, et de préférence aujourd'hui même, avant qu'elle attrape l'inévitable coup de soleil qui lui interdirait pendant plusieurs jours de la toucher sans qu'elle se mette à hurler.

Il ne pouvait cesser de la contempler, tant elle lui semblait inconnue – et du même coup séduisante – sous cette lumière. Il se rendait bien compte qu'elle était en voie de se détacher de lui. Et, dans le secret de son cœur, il avait décidé de la devancer. Cela rendrait la chose moins douloureuse. Il tendit la main vers sa femme. Elle sentit le souffle d'air sur sa peau.

S'il te plaît, ne me touche pas, pensa-t-elle. Je ne veux pas que tu me touches. Je ne le veux pas.

Il se demanda un instant où poser sa main ; il aurait aimé par-dessus tout la presser sur ses gros seins blancs comme la neige, mais il aurait alors risqué un réveil particulièrement grognon ; il la laissa donc tomber sur la chair tendre de son bras. Cette main poissait telle la patte sale d'un enfant.

Babette, murmura-t-il. Elle le fit attendre.

Babette, répéta-t-il un rien plus fort, il fait un temps absolument merveilleux dehors.

Imbécile, pensa-t-elle, on est quand même sous les tropiques.

Il la secoua doucement. Elle ouvrit lentement les yeux.

Ah, oui ? s'étonna-t-elle avec un égarement feint. On est déjà arrivés ?

Comme on pouvait s'y attendre, dit-il dans un éclat de rire.

Babette avait appris, au fil de leurs longues années de mariage, à changer l'aversion qu'elle sentait parfois monter en elle de façon tout à fait inopinée en substitut d'amour, en jouant un peu la comédie. Il lui suffisait de faire la petite fille étourdie, et avec un peu de chance Fritz en était si touché, se montrait alors si débordant de tendresse qu'elle-même à son tour se laissait émouvoir.

Tout de suite, il se pencha vers elle et lui chatouilla le ventre du bout de ses cheveux, qui commençaient à s'éclaircir.

Réfléchis un peu, dit-il. Tu te croyais nue comme un ver dans l'avion ?

Elle esquissa un gloussement. Se sentant encouragé, il se laissa tomber sur elle.

Fritz, gémit-elle en s'étirant sous lui. Pour ne pas le décevoir, elle gloussa encore une fois avant de dire : Laisse-moi.

Il se redressa, défait. Il sera bientôt huit heures, dit-il. Je suis debout depuis six heures. Tu ne peux pas imaginer à quel point c'est beau…

S'il te plaît, ne me raconte pas, répliqua-t-elle en lui coupant la parole. Fais attention !

Alors, je ne dis rien.

Je veux le voir moi-même, okay ?

Il fera bientôt très chaud.

On est sous les tropiques.

Tu vas avoir très chaud.

Je vais avoir très chaud, répéta-t-elle paresseusement. Ils regardèrent tous deux le jardin par la fenêtre à moustiquaire. Regarde ! dit-il, un papillon géant.

Oui.

C'est incroyable, non, la taille qu'il fait ?

Oui.

Il faut que tu prennes un café ?

Oui.

Elle se leva et descendit l'escalier. Dès la première marche, son regard se posa sur la valise ouverte de M. Shun. Fritz n'avait-il pas remarqué les affaires d'homme dans sa valise ?

Elle rabattit le couvercle en passant. Elle se brossa les dents avec la brosse de Fritz, se peigna les cheveux avec les doigts, le peigne de Vénus, disait sa mère. En aucun cas elle ne pourrait remettre les affaires qu'elle portait dans l'avion, elles sentaient mauvais. Et à Fritz elle ne pouvait même pas emprunter un tee-shirt sans le faire exploser. Tandis qu'elle cherchait encore des prétextes, elle savait déjà qu'elle enfilerait une des belles chemises bleu ciel de M. Shun, avec un de ses pantalons de coton blanc ; elle pourrait le rouler à la ceinture, ça irait. Ou bien la veste de judo, blanche ? Mais ce serait trop voyant. Même Fritz le remarquerait.

Il faisait si chaud qu'elle avait du mal à respirer. La mer scintillait au loin. La piscine, tout près des tables du petit déjeuner, débordait sur ses plages avec un clapotement mou. Autour des tables basses de bambou étaient installés des couples d'amoureux japonais, les femmes aux silhouettes d'enfant en bikinis crochetés, les hommes avec des boucs et des lunettes de soleil de toutes les couleurs. Tous, sans exception, jeunes, minces et beaux.

Babette laissa échapper un profond soupir, et Fritz approuva de la tête, l'interprétant comme un signe d'émerveillement. À peine s'étaient-ils assis à l'une de ces petites tables – si elles faisaient paraître les Japonais plus grands, elles leur donnaient à eux une allure monstrueuse – que la plus belle femme que Babette eût jamais vue s'approcha d'un pas lent, élégant et élastique et leur tendit aimablement la carte du petit déjeuner.

Elle arborait un sarong marron à impressions dorées, avec un haut ajouré en dentelle jaune et une large écharpe dorée enroulée autour de sa taille de guêpe. Elle avait une belle poitrine parfaitement formée, un long cou mince supportant une tête noblement modelée. Sa peau était d'un doux brun, elle avait de grands yeux sombres, une bouche charnue, elle portait son épaisse chevelure noire en une longue tresse compliquée, à la manière balinaise traditionnelle.

On aurait cru un personnage imaginaire. Son sourire découvrait des gencives roses de bébé et des dents de la blancheur du papier. Elle leur demanda d'une voix feutrée ce qu'ils désiraient.

Babette la dévisageait sans gêne, sachant que dans quelques secondes elle serait submergée de haine pour son propre corps rondelet. Elle lissa nerveusement le pantalon de M. Shun sur son genou, et alors elle l'entendit rire en disant : « Car toute chair est comme l'herbe. »

Elle cligna des yeux, ébahie, mais il n'en ajouta pas davantage.

Je crois que je vais prendre des œufs brouillés au lard, dit Fritz.

La belle revint, le plateau du petit déjeuner sur la tête, elle avançait gracieusement, s'agenouilla et les servit. Babette contemplait son assiette de fruits aux splendides couleurs avec la papaye orange, la pastèque rose carmin, l'ananas jaune éclatant et le bleu azur scintillant de la mer.

Elle s'imaginait M. Shun, lui aussi quelque part sur cette île en ce moment précis, assis devant une assiette de fruits, vêtu de l'un de ses tee-shirts, peut-être le vert, avec l'inscription : « Tout, tout, tout. » Ou le blanc et noir avec les 101 dalmatiens. Ou encore le bleu qui témoignait de sa visite au parc maritime de Saulgrub. Continuez donc, monsieur Shun. « Car toute chair est comme l'herbe » – qu'est-ce que ça signifie ?

Fritz leva les yeux de ses œufs brouillés.

Tu as déjà l'air tout à fait reposée. Tu rayonnes comme le soleil des mers du Sud.

Le moment aurait été venu de lui raconter l'histoire des valises interverties, mais elle laissa passer l'occasion. Trop tard, trop tard, car ensuite tous deux finirent leur petit déjeuner et Fritz s'écria : Au travail ! Il frappa dans ses mains et fit dix pas jusqu'à la mer, où il étendit les serviettes de l'hôtel et déballa sa crème solaire sur les chaises longues.

Je te mets de la crème dans le dos, dit-il résolument. Ce soleil brûlerait même à l'ombre. Ici, le trou de la couche d'ozone est déjà presque aussi gros qu'en Australie. Pas de blague ! Déshabille-toi.

Je crois qu'aujourd'hui je ne vais pas me déshabiller du tout, répondit Babette en se laissant tomber sur une chaise longue, qui faillit s'effondrer sous l'impact. Sans doute n'était-elle faite que pour des Japonaises poids plume.

Très bien, opina Fritz, et pour aller dans l'eau ?

J'y réfléchirai plus tard, fit-elle nonchalamment.

Il se leva prestement, son podomètre au mollet.

Je fais un tour sur la plage et puis je traverse le village, lui lança-t-il encore.

Ciao, répondit-elle. Amuse-toi bien ! Et elle le regarda partir en vitesse. De dos, on aurait dit un garçon de seize ans. Ridiculement mince. Un hareng saur. Elle savait bien qu'il avait souffert toute sa vie d'être aussi fluet. Pendant un certain temps, il avait tenté de faire des haltères, mais comme il ne constatait pas d'effet vraiment convaincant, il avait cessé.

Mon petit hareng, pensa-t-elle affectueusement. Quand il reviendra, je lui expliquerai enfin l'histoire de la valise.

Une Balinaise d'un certain âge, vêtue de blanc de la tête aux pieds, les hanches larges, approcha sur la plage d'un pas traînant, un plateau sur la tête, et déposa devant chacune des divinités de pierre qui marquaient l'emplacement des chaises longues de petites corbeilles en feuilles de noix de coco remplies de fleurs, qu'elle aspergeait d'eau avec une bouteille de vinaigrette avant de passer à plusieurs reprises sur ces présents une fleur qu'elle tenait entre le pouce et l'index. Lorsqu'elle arriva à la grenouille de pierre qui veillait sur sa chaise longue, elle adressa un amical signe de tête à Babette.

God, dit-elle. *Very important.*

Babette acquiesça de la tête. *Very important*, répéta-t-elle.

La femme approuva en la regardant calmement. *Important*, reprit-elle encore, et elle poursuivit son chemin au ralenti jusqu'à la divinité suivante, un singe à l'air furieux.

Babette la suivit des yeux. Quelle existence limpide, raisonnable, pensa-t-elle pleine d'envie. Tous les jours confectionner des offrandes et les apporter aux dieux, simplement parce qu'il le faut. *Important.* Ne jamais avoir à réfléchir à ce que cela signifie, ne pas protester ni se révolter. De quoi ai-je l'air, moi, pauvre idiote, avec mon papier cadeau ? *Not important.*

Je devrais peut-être photographier les corbeilles d'offrandes et imprimer le motif. Avec les divinités. Papier cadeau ethnologique. Est-ce qu'on a déjà eu ça ? Certainement. Ulcérée, elle s'allongea sur le ventre. C'est alors qu'elle entendit une douce voix de femme : *Hello, madame ?*

Elle se retourna, péniblement, telle une baleine échouée sur la terre ferme. Devant sa chaise longue se tenait une Balinaise, petite mais qui semblait robuste, avec un bonnet rose fait au crochet.

You need massage ? Manicure ? Pedicure ?

Babette esquissa un signe de refus, mais la femme lui saisit le pied entre ses mains et examina ses orteils.

You need pedicure, madame, observa-t-elle d'un ton sévère. *And massage. Make you feel beautiful.*

À peine avait-elle prononcé ces mots magiques que la résistance de Babette fondit ; son second geste de refus était déjà moins résolu, et la femme ne manqua pas de s'en apercevoir.

When come ?

Later, répondit faiblement Babette, *maybe later.*

My name Flower, insista la femme. *You remember Flower, okay ? Flower make you feel beautiful.*

Brusquement jaillit dans la tête de Babette l'idée qu'il lui fallait de toute urgence s'occuper de son apparence avant de se retrouver devant M. Shun. Cette idée lui inspirait autant d'horreur que de plaisir, un peu comme se curer le nez en cachette ou péter sous l'eau.

Better now, reprit Flower, *better beautiful now.*

Babette la suivit docilement jusqu'à quelques lits de bois installés sous un caoutchouc, sur la plage, où Flower et d'autres femmes avaient mis en place leur cabinet de massages en plein air. Effarée, Babette vit des Européens roses comme des cochons de lait ballottés d'un côté et de l'autre telles des saucisses géantes sous les mains énergiques de Balinaises filiformes qui leur pétrissaient la chair. De temps en temps, une des saucisses laissait échapper un profond et voluptueux grognement.

Car toute chair est comme l'herbe, murmura-t-elle.

D'où venait cette formule ? Comment ces paroles s'étaient-elles gravées dans son esprit et pourquoi avait-elle donc l'intime conviction que c'était le Chinois qui les avait prononcées ?

Flower montra sa place à Babette.

Take shirt off, dit-elle d'un ton péremptoire.

Babette déboutonna timidement sa chemise et s'allongea sur le ventre.

Now pants, ordonna Flower.

Mon Dieu, Babette allait-elle se retrouver complètement nue en pleine nature ? Elle jeta un coup d'œil à droite et à gauche, vit que les autres avaient un sarong pudiquement posé sur les parties intimes ; elle quitta donc le pantalon de M. Shun, on jeta sur ses fesses nues un bout de tissu, et déjà Flower se mettait ardemment à l'ouvrage.

En un rien de temps, Babette se sentit comme un bébé que sa mère berce en le balançant. Son esprit, complètement détaché, se mit à battre la campagne et à se représenter des images obscènes. Il inventait des scènes entre M. Shun et elle dans les toilettes de l'avion, ses grosses fesses blanches dans le lavabo, ses jambes autour du cou de M. Shun. Il baissait voluptueusement ses cils noirs ; de la plante des pieds, elle caressait ses cheveux, qui lui faisaient l'effet d'un épais gazon. Puis de nouveau il enlevait à Babette son pantalon blanc – qui en réalité était à lui – sous un odorant frangipanier, au milieu de la nuit. Les fleurs blanches voletaient comme de tendres baisers sur sa peau nue. Elle voyait devant elle son ventre confortable, la toison noire sur sa poitrine, la mince ligne de la taille au sexe, elle sentait son parfum de citron. Aaaaah !

Ce roman porno qu'elle s'inventait à sa façon fit sourire doucement Babette sur son lit. Elle avait auparavant presque oublié que M. Shun n'avait sans doute absolument rien à voir avec son Chinois, mais à peine avait-elle été allongée là, une douce brise caressant son corps telle une grande plume, que ses pensées étaient revenues à ce scénario, à la façon d'abeilles sur un pot de miel.

Et qu'arriverait-il si ?...

Bah, rien du tout. Que devrait-il arriver ? Faudrait-il se jeter avec M. Shun derrière un buisson d'hibiscus, lui rendre visite en secret à son hôtel, partir pour Cologne, avoir un enfant de lui, mener une double vie, se suicider si tout était découvert ? Était-elle donc si insatisfaite ? Que lui manquait-il ? Je me la joue, se murmura-t-elle pour se tranquilliser.

Elle fut interrompue dans ses pensées par un cri stri-dent. Il venait de la rue toute proche, derrière l'hôtel, mais ne l'intéressait pas particulièrement et ne lui sembla même pas une raison de se redresser. C'est seulement quand un policier, une fleur de jasmin derrière l'oreille, vint la secouer en lui disant : *Your husband,* qu'elle se leva péniblement et de mauvaise grâce. La fleur de jasmin dégageait un parfum enivrant.

Elle vit bien les gouttes de sueur sur les sourcils noirs du policier, la trace de crasse au col de sa chemise blanche en nylon.

My husband ? répéta-t-elle mollement.

Le policier fit un signe nerveux en direction de la rue derrière l'hôtel.

Your husband, bredouilla-t-il encore, *accident.*

La première chose qu'elle aperçut, ce fut le podomètre à sa jambe nue. Il avait compté 7 565 pas, très exacte-ment. Un pas de moins et tout se serait passé autrement.

Juste à côté de sa tête, une petite coupe d'offrandes en feuilles de coco, pleine de fleurs multicolores, nageait dans un flot de sang rouge sombre qui s'échappait de son crâne en étonnante quantité. Elle passa les mains sous sa tête qu'elle posa sur ses genoux ; en même temps, elle avait conscience d'offrir une image ressemblant beau-coup à ce qu'elle avait vu récemment dans un clip vidéo. Elle attendait la musique. Ce qui se passait là était abso-lument ridicule.

Fritz ne souriait pas vraiment, mais il semblait calme et paisible, il avait les yeux fermés.

On roule à gauche. Tu as intérêt à faire attention quand tu traverses la rue.

Un tourbillon de voitures et de passants s'était formé autour d'elle, seul l'emplacement où elle se trouvait avec Fritz était calme. Il régnait une odeur de moisi légèrement douceâtre. Un peu plus loin était posté, avec sa charrette, un marchand de soupe qui la regardait fixement. Il restait inexpressif, alors que Babette essayait de lire dans son regard si ce qui venait d'arriver était grave ou non. Fritz allait se relever d'un instant à l'autre et le podomètre continuerait de compter : 7 566, 7 567, 7 568...

Ils ne le transportèrent même pas à l'hôpital. Dans l'ambulance, un médecin balinais se pencha longuement au-dessus de lui, le manipula, pour finir lui piqua une longue aiguille dans la plante des pieds. Babette tressaillit, Fritz ne réagit pas. Le médecin tendit à Babette une petite main sèche.

I'm sorry, madame, dit-il.

Il descendit du véhicule, laissant Babette seule, assise à côté de Fritz ; longtemps il ne se passa rien, absolument rien. Le silence. Même en elle ; comme si la bande-son de sa vie était coupée, seules les images continuaient de défiler.

Elle se souvint par la suite que la Balinaise de la plage au chapeau rose tricoté au crochet, Flower, l'avait raccompagnée à son hôtel et était restée longtemps assise à côté d'elle. Un oiseau inconnu avait poussé un cri, telle une sonnerie de portable ; elle s'était dit : Voilà Fritz qui appelle, enfin il appelle. Dans sa tête, elle lui avait raconté qu'il était mort, à Bali, parce qu'il avait traversé la rue sans regarder. Il avait éclaté de rire, comme on pouvait s'y attendre.

C'est *toi* qui ne sais pas la différence entre la droite et la gauche, avait-il dit, *toi*. Pas moi.

Flower lui faisait manger des tranches de papaye, elle souriait et bavardait, comme si rien n'était arrivé. Était-il vraiment arrivé quelque chose ? Flower était-elle restée assise toute la nuit à côté d'elle ? L'avait-elle baignée le lendemain matin, enveloppée d'un sarong aux couleurs sombres, lui avait-elle enfilé un tee-shirt noir ? D'où venaient ces affaires ?

Tout de suite après, elle se retrouva à la table du petit déjeuner. Très exactement là où elle avait pris le petit déjeuner la veille avec Fritz, qui avait mangé des œufs brouillés au lard, et le proconsul allemand, bronzé, en costume de lin bleu marine, était assis en face d'elle, il passait constamment la main dans ses cheveux gris ondulés et lui adressait la parole en lui répétant : « Chère madame... »

Je vous déconseillerais, chère madame, de faire transporter votre mari... le corps de votre mari, rectifia-t-il, en Allemagne. Les formalités administratives sont extrêmement compliquées... et très astreignantes. Il appela d'un geste la jolie serveuse et se commanda un jus de pastèque.

La jolie serveuse adressa un amical signe de tête à Babette tout en prenant la commande. D'elle-même, elle lui apporta ensuite une tisane de mélisse. Sur la plage, Babette aperçut Flower, avec son chapeau rose, qui la regardait.

Eh bien, reprit le proconsul en se passant nerveusement la main dans les cheveux, je vous recommande expressément une incinération, chère madame. Bien sûr, vous avez le choix entre celle de cérémonie et la forme simple, mais je vous mets en garde contre la plus solennelle, car c'est un gros investissement. Les Balinais dépensent plus encore pour cela que pour leur mariage.

Babette opina, comme si elle avait compris. Mais les mots ne revêtaient aucune signification, ils flottaient au-dessus de sa tête telles les pièces d'un mobile. Incinération. Cérémonie. Mariage. Formalités administratives. Elle se prit même à sourire.

Oui, dit-elle.

Le diplomate poussa un soupir de soulagement. C'est raisonnable, dit-il comme pour la féliciter, très raisonnable.

Une cérémonie, ajouta Babette. Je voudrais une cérémonie.

Mon Dieu, reprit le proconsul, vous ne vous doutez pas de ce à quoi vous vous exposez, chère madame !

Majouni, la belle serveuse, et Flower se chargèrent de la suite des opérations.

Special ceremony, dirent-elles en souriant, *special ceremony for husband*.

Elles conduisirent Babette dans un établissement de bains, au village, où elle fut frictionnée, baignée et massée, on enduisit ses cheveux d'une huile odorante spéciale, on lui fit les ongles des mains et des pieds, puis on les décora de minuscules fleurs peintes. Elle se prêta à tout cela dans une sorte de transe, elle s'adaptait à l'humeur des autres, par osmose. Quand les autres souriaient, elle souriait, quand elles faisaient un signe de tête, elle aussi. Elle était sans volonté, sans émotion ; en même temps, son corps vibrait d'une étrange excitation, comme sous l'effet d'une drogue. Elle ne ressentait rien, mais sa perception semblait exacerbée. Elle voyait le moindre détail démesurément grossi, pourtant les corrélations lui échappaient. Le temps ne jouait aucun rôle. Par la suite, elle ne se souvint plus du temps qui s'était écoulé entre la mort de Fritz et son incinération. Elle ne revit plus son corps, n'en éprouva pas non plus le désir, car elle l'avait toujours en chair et en os devant les yeux. Il ne se passait pas une seconde où elle ne le sentît à côté d'elle, comme tout au long de ces années. Pourquoi serait-ce différent aujourd'hui ?

Elle s'asseyait sur la plage comme si elle était encore en vacances, seulement Fritz semblait avoir d'autres projets. Elle s'attendait vaguement que Majouni lui apportât le téléphone. Ce n'était quand même pas pensable que Fritz ne se manifeste pas. Il fallait bien qu'enfin il se manifeste.

Fritz ? Bon Dieu, je t'attends. Je suis sur la plage à t'attendre. Pourquoi n'appelles-tu pas ? Pourquoi me laisses-tu en rade ? Qu'est ce qui te prend ?

Ses pensées s'enrayaient sur les mêmes pistes tel un cheval de cirque qui donne toujours la même représentation et ne peut comprendre qu'il n'y ait pas de spectacle un soir. Ce soir, ni demain, ni après-demain. Elle semblait frappée par la foudre. Tout cela n'était pas possible.

Toute la journée, elle restait allongée sur son lit à observer les gens qui passaient en une interminable caravane le long de la plage. Les enfants balinais qui portaient en équilibre sur des casquettes de base-ball rembourrées de lourdes caisses contenant de l'eau, des Mentos et des cigarettes ; les ramasseurs d'ordures en sarong et tee-shirt jaune, le policier, sa fleur de jasmin derrière l'oreille, les vieilles touristes grasses en bikini trop serré, les couples d'amoureux japonais, les femmes en mules à semelle épaisse et en petite robe d'été, les hommes en sandales de bain de toutes les couleurs.

À un moment ou à un autre, Fritz finirait bien par passer. Son cerveau lui faisait miroiter cette image, jusqu'à ce qu'elle le vît réellement, alors elle se leva d'un bond et s'apprêta à le suivre.

Immédiatement, Flower se dressa devant elle, en sarong sombre et tee-shirt noir, comme elle, l'inévitable chapeau rose au crochet sur la tête. Elle tenait à la main une photographie de Fritz en grand format dans un cadre sculpté.

Sa photo de passeport. Il regardait Babette d'en bas, avec une certaine méfiance. Qu'est-ce que ça va donner tout ça, quand ce sera fini ? Elle l'entendit prononcer cette phrase. À voix haute et intelligible. Réprobateur, hochant la tête.

Flower lui prit la main énergiquement.

Ceremony, dit-elle. *Now. Ceremony now.*

Babette ne voulait pas y aller. Elle ne voulait y aller en aucun cas. Elle se laissa retomber sur le lit, comme une enfant capricieuse, mais Flower la tira de nouveau par la main et la poussa à petits pas devant elle sur la promenade qui bordait la plage. Elle riait, et Babette se mit à rire à son tour. Elle ne savait pas pourquoi elle riait, son corps faisait tout simplement ce qu'il voulait, sans se soucier d'elle. Un jeune homme les suivit, proposant à Babette d'abord des tatouages, puis la visite des plus beaux sites de Bali, enfin une paire de cuillères taillées à la main, jusqu'au moment où Flower lui dit quelque chose en balinais ; il joignit alors les mains pour se faire pardonner et s'inclina légèrement devant Babette. Elle se sentit brusquement souveraine, sublime, hors du commun.

Une colonne de fumée s'élevait entre les caoutchoucs ; en s'approchant, elle vit une grande assemblée de Balinais en costume traditionnel réunis autour d'un feu. Les hommes portaient des chemises noires, une parure sur la tête et des capes noir et blanc, quadrillées comme des torchons de cuisine, par-dessus leur sarong noir. Les femmes arboraient des chemisiers de dentelle noire et des écharpes colorées.

Majouni, tout excitée, fit bonjour à Babette, qui approcha timidement. Majouni était charmante avec ce chemisier de dentelle noire.

Fritz, regarde-moi ça.

L'assistance s'écarta devant Babette, qui vit une grande boîte en carton enflammée posée sur une plaque de tôle ondulée. Cercueil, dit son cerveau. Mais elle n'arrivait pas à mettre le vocable en rapport avec cette caisse. Inimaginable que Fritz fût dans ce carton de déménagement. Des flammes bleues projetées au lance-flammes léchaient le carton. Les hommes qui maniaient ces lance-flammes se tenaient nonchalamment à côté des bouteilles de gaz bleues. Tout près du feu, il faisait une chaleur d'enfer ; Babette recula, horrifiée.

Elle pressait sur sa poitrine la photo de Fritz ; elle regarda autour d'elle, égarée. Elle était la seule Blanche à ces funérailles. Qui les avait invités ? Qui avait organisé tout cela ? On lui adressait constamment des petits signes de tête amicaux. Des enfants couraient alentour en riant et en criant, un garçon jouait sur sa Nintendo, un homme qui portait des lunettes de soleil dont les verres faisaient miroir sortit un portable de sous son sarong et se mit à téléphoner ; trois vieux messieurs jouaient aux cartes sous un caoutchouc.

Babette aurait voulu s'enfuir, disparaître de là, mais Flower et Majouni la tenaient fermement par les épaules et la dirigèrent vers une grande table, haute, recouverte d'une nappe blanche, sur laquelle étaient amassées des offrandes.

Un prêtre en costume blanc était assis à cette table, unique convive de ce repas de fête. Il portait d'épaisses lunettes noires, et son bouc blanc clairsemé le faisait ressembler à Hô Chi Minh. Un orchestre gamelan complet attendait à côté. Les hommes fumaient et riaient en regardant leurs imitations de montres de luxe.

Majouni força Babette à s'asseoir par terre, Flower s'assit à côté d'elle, et elles attendirent ainsi indéfiniment ; Babette eut l'impression qu'il s'écoulait des heures.

On lui donnait des fruits et du riz, on lui donnait aussi à boire, autour d'elle s'agitaient des jambes d'enfants à la peau brune et des sarongs noirs qui formaient un manège incessant. Elle ferma les yeux et resta plongée dans ses pensées, jusqu'au moment où, d'un mouvement brusque, Flower l'obligea à se hisser sur ses pieds.

Les hommes au gaz propane arrêtèrent leurs lance-flammes. Sur la tôle se consumaient encore des braises incandescentes, que l'on s'efforçait d'éteindre avec de l'eau de mer et des coques de noix de coco. Le gamelan commença de jouer, on conduisit Babette jusqu'aux cendres et on la pria d'en prendre dans ses mains. Majouni lui montra comment il fallait faire. Elle se pencha gracieusement et fouilla d'un mouvement vif dans la cendre humide, en sortit un petit morceau d'os, qu'elle déposa dans une coupe en feuilles de coco. Étourdie, Babette l'imita, jusqu'à ce qu'elle trouve à son tour un petit morceau d'os.

Elle savait que c'était Fritz, et en même temps elle ne pouvait pas le comprendre. Elle ne ressentait pas grand-chose d'autre que si elle avait mis les mains dans un cendrier. Il lui échappa un curieux son, presque un glousse-ment de rire, que les autres laissèrent passer en souriant.

On tendit la coupe au prêtre, qui avait ôté tous ses vêtements à l'exception d'un pagne blanc ; il se coiffa d'un haut bonnet de velours rouge et se mit à chanter d'une voix tremblante. Comme si son chant avait un effet immédiat, le ciel s'obscurcit tout à coup, il se mit à pleuvoir à torrent, et toute l'assistance se réfugia sous les caoutchoucs et sous la table où étaient disposées les offrandes.

Indécise, trempée jusqu'aux os, Babette restait immo-bile, puis Flower la prit par la main et la tira sous la table, où la cérémonie se poursuivait comme si de rien n'était. On chantait, on se distribuait des fleurs d'hibiscus avec lesquelles on décrivait de petits mouvements de mains pleins d'élégance ; Flower et Majouni lui mon-traient, Babette essayait de les imiter. Elle se serait crue à un cours de danse où elle aurait tout fait de travers. Elle avait mal aux genoux. Elle seule se heurtait la tête au pla-teau de la table, il fallait qu'elle se courbe dans une posi-tion inconfortable, ses vêtements mouillés lui collaient au corps, elle commença à souhaiter ardemment la fin de cette cérémonie.

Les touristes sous leur parapluie passaient à toute allure sur la promenade, posant sur elle un regard stupé-fait. Qu'est-ce qu'une Blanche faisait au milieu de tous ces Balinais sous la table ? Elle saisissait au vol quelques propos. Une jeune femme portant un bikini et un sarong demandait : Tu as déjà mangé du *padang* ? Avec les doigts. Ce n'est pas particulièrement hygiénique. Mais la viande est bonne ! Et on ne mange jamais de la main gauche, de la main gauche, on s'essuie le derrière. Ou bien c'est la droite ?

Un peu plus tard, le soleil ressortit des nuages, impitoyablement brûlant. Babette, abasourdie, se sentait prise de vertige. Il faisait trop chaud. Elle aurait voulu aller à l'ombre, au frais, à la maison.

On lui prit la photographie de Fritz, qui fit le tour de l'assistance ; chacun la tenait entre ses mains et l'observait avec attention. Démunie de cette photo, Babette se sentit brusquement seule et abandonnée ; elle se mit alors à pleurer. Flower la secoua par les épaules.

Today happy, ordonna-t-elle d'un ton sévère.

Sorry, répondit machinalement Babette.

Le prêtre se dressa derrière la table et les aspergea tous d'eau bénite. Babette tendit avidement le visage vers lui. Il eut juste un instant d'hésitation, puis lui en envoya à la face une dose particulièrement généreuse. Il y eut des sourires autour d'elle. Le prêtre agita ensuite une sorte de cloche de Noël ; ils se levèrent tous. Babette eut du mal à se tenir debout, elle avait les jambes engourdies. Elle se redressa péniblement, comme une vieille femme. Une vive agitation se déclencha alors autour d'elle : en un clin d'œil, on entassa les offrandes sur la tôle pour les porter en procession jusqu'à la mer. Babette suivait lentement en boitillant.

Ils me conduisent à l'eau, pensait-elle. La lisière de mon sarong mouillé me bat les jambes. Ils m'installent dans un canoë qui menace de chavirer ; c'est difficile de monter dans un canoë avec un sarong, les hommes m'aident en riant, ils pagaient pour m'emmener au large. Des enfants nagent à côté de nous et nous font de la main des signes auxquels je réponds ; tout ça n'est qu'une blague, pendant les vacances on s'amuse ! Juste avant la barre d'écueil où se brise la houle, ils me tendent la coupe d'offrandes contenant trois fleurs, les cendres et les osselets. Puis ils font des signes de tête pour m'encourager.

Oui ? Ils font oui de la tête.

Qu'est-ce qui se passe maintenant ?

Ils me font signe de poser la coupe sur l'eau. Non, je refuse en hochant la tête. Ils éclatent de rire. Je ne veux pas. Je ressens brusquement les adieux comme une blessure ouverte qui m'était restée cachée jusqu'à présent. J'ai peur. Je vais perdre tout mon sang par cette blessure.

L'homme qui est dans mon canoë me prend le bras et le guide vers l'eau. La coupe m'échappe de la main, sautille sur les vagues, se défend contre le naufrage, mais elle est déjà renversée, les cendres flottent à la surface, en petites taches grises sur fond vert qui s'éparpillent puis disparaissent à la vue.

Reste, reste.

Je me penche profondément au-dessus de l'eau, j'essaie de suivre encore des yeux la dernière, la toute dernière poussière de cendre, la dernière parcelle de toi, quand arrive à toute allure un couple japonais sur un scooter marin, qui fait tourbillonner l'eau tel un minityphon. Leur rire demeure longtemps suspendu dans l'air. Tu es parti.

Florian dort chez Babette sur le divan, il reste aussi la nuit suivante, et la suivante encore, jusqu'au jour où il arrive avec une valise. Le lendemain matin, Babette découvre avec étonnement son rasoir électrique, et la seconde brosse à dents à la salle de bains, tout est brusquement comme autrefois. Elle habite avec un homme.

Il s'est quoi ? Thomas secoue la tête, stupéfait.

Si, je crois qu'il est installé.

Mais tu ne le connais pas du tout.

Pas moins que toi, ou en tout cas aussi bien.

Elle se lève pour aller lui chercher un café et le lui apporte au lit ; il se recouche. Elle sait bien qu'il n'aime pas prendre le petit déjeuner au lit, c'était un geste idiot. Il était censé lui faire sentir que ça aurait pu être comme ça s'ils avaient emménagé ensemble. Le café au lit, et beaucoup d'autres choses encore. L'intimité. Le quotidien.

Tu as trop peur de moi, lui dit-elle.

Et c'est pour ça que tu vas vivre en toute simplicité avec je ne sais quel dessinateur de mode pédéraste ?

Babette hausse les épaules. Je ne voudrais pas que cette vie de célibataire finisse par me rendre maniaque et racornie, je veux être capable de passer souverainement sur les travers des autres, répond-elle.

Elle n'ajoute pas qu'il lui paraît beaucoup plus facile de vivre avec Florian qu'avec Thomas. Florian n'a pas de sautes d'humeur, il est ordonné, il sait faire la cuisine, il aime bavarder – un homme qui parle ! Le dimanche, ils restent au lit à regarder la télévision, avec des masques de beauté au yaourt, à l'avocat et au miel sur le visage. Tout ça, elle ne le raconte pas.

Immobiles comme des poupées, Thomas et Babette sont assis côte à côte dans le lit ; ils regardent par la fenêtre. Le soleil brille, Babette prévoit déjà ce qui va se passer. Et à l'instant même il dit : J'ai découvert un nouveau labyrinthe.

Babette soupire. On ne peut pas simplement aller se promener du côté des lacs, sans but précis…

Il y aura des embouteillages partout, réplique-t-il.

On n'est pas forcés d'aller en direction de l'autoroute.

Mais le labyrinthe n'est pas loin du tout.

On ne peut pas partir sans but pour une fois… suggère-t-elle encore.

Il déteste ne pas avoir de but. Elle le regarde d'un air suppliant. À un moment ou à un autre, sans qu'il s'en rende compte, elle est devenue plus jolie. Peut-être dans le courant de l'été. Elle a le visage plus plein, et elle s'habille en couleur. Du bleu. Ça lui va bien, elle a l'air pleine d'espoir dans du bleu.

N'était-elle pas toujours vêtue de noir auparavant ? Il ne lui a jamais posé la question, mais c'était sans doute à cause de la disparition de son mari. Mort accidentellement à Bali en traversant une rue. Quelle horreur. Elle n'en a pas dit davantage, et il ne veut pas non plus en savoir davantage. Il ne juge pas bon de s'encombrer du passé. Il entend trop d'histoires à l'hôpital. C'est une des raisons pour lesquelles il est devenu anesthésiste. Au moins, ses patients se taisent. Les infirmières en racontent bien assez. Une chose s'ajoute à l'autre et augmente la tragédie. On dirait qu'un jour ou l'autre la vie tend à se transformer en tragédie. Mais où est-ce que ça commence ? Au départ, il n'y a qu'un petit groupe de cellules qui déraillent, et personne ne s'en aperçoit. Tout le problème est là pour Thomas : le point de départ d'un phénomène néfaste est rarement perceptible, or les suites sont généralement incontrôlables. À un moment donné, il y a toujours quelque chose qui va de travers. C'est pourquoi il évite, de préférence, même les commencements. Dans la vie privée tout au moins.

Et professionnellement, il est bien rare aussi qu'on parvienne à défaire les imbroglios du passé pour rendre à nouveau possible un avenir. La devise est de créer de la durée de vie ; ensuite, la manière dont se présentera cette vie ne les concerne plus. Il est pourtant rare que ce soit un temps libre et heureux, sans handicap aucun, où tout irait de nouveau bien. Ils n'arrivent le plus souvent qu'à ménager un petit espace d'espoir ou d'angoisse, où les patients et leurs proches sont ballottés d'un côté et de l'autre, comme dans une violente tempête.

Babette ne peut s'en faire aucune idée. Son mari a eu une chance infinie d'être éliminé en une fraction de seconde, une chance incommensurable. Thomas prie pour avoir une mort pareille, comme tous les médecins et infirmières. Ils prient tous constamment et ardemment pour ne jamais devenir patient à leur tour.

Il n'a pas choisi le métier qu'il fallait, il le sait depuis longtemps. Il ne peut pas se débarrasser du malheur des autres, c'est quelque chose qui le poursuit, l'oppresse, le déprime, il se sent gris et fatigué, désespéré. Il ne peut pas se consoler de l'idée que la vie se termine par la maladie et la mort. Que la tragédie est inéluctable. Tout lui semble porter déjà en soi le germe de cette tragédie. Il a du mal à éprouver de la joie, il est incapable de ne pas y penser.

Sa femme l'a quitté à cause de ça. Je voudrais juste être gaie, a-t-elle dit. Il la comprend, car il aimerait bien aussi, mais il ne peut pas. La gaieté ne s'invente pas, c'est tout un programme.

Allons juste faire un tour en voiture, recommence Babette. Juste comme ça.

C'est précisément ce qui le pousse au désespoir, ce « juste comme ça ». Juste comme ça, la vie fait ce qu'elle veut.

Départ dans une demi-heure, me murmure-t-il à l'oreille. Et puis je l'entends marcher d'un pas lourd dans l'appartement, remplir les bouteilles d'eau, mettre des pommes et des œufs durs dans le sac à dos, ainsi que des pansements spéciaux à appliquer sur les ampoules, pour moi, et son affreux chapeau de soleil à carreaux que j'aimerais jeter tant il lui donne l'air idiot.

On croirait qu'on s'équipe pour une expédition au mont Blanc. Je me laisse rouler hors du lit, le parquet est encore d'une agréable fraîcheur sous mes pieds, dans quelques heures à peine j'aurai trop chaud, je serai enflée et de mauvaise humeur.

Encore vingt-cinq minutes ! s'exclame Thomas, tout excité.

Il fait les cent pas dans le couloir comme un chien en attendant que j'aie fini de me doucher, de m'enduire des pieds à la tête de crème protectrice contre le soleil, et que j'aie trouvé mon rouge à lèvres. Je ne vais nulle part sans rouge à lèvres. Pas même dans un labyrinthe. Je ne sais pas qui a inventé cette idée idiote, mais brusquement il y en a partout : des labyrinthes dans les plantations de maïs.

Des paysans sournois sèment au printemps des graines de maïs suivant des tracés embrouillés, et au mois de juillet ils installent une petite cabane en bois à côté des plantes, qui ont alors atteint une hauteur d'homme, ils prennent dix à douze marks d'entrée aux citadins qui se perdent pendant environ quatre heures dans le labyrinthe pour se jeter ensuite sur les glaces et la limonade qu'on leur vend à prix d'or. On y trouve aussi bien des enfants qui s'ennuient, avec des mères qui bavardent et des pères énergiques, que des couples d'amoureux ou les représentants du troisième âge qui, décidément, ne trouvent plus rien d'autre à faire.

De temps en temps, on y rencontre un jeune homme solitaire, jamais de femme. Nous, les femmes, ça ne nous amuse pas de nous perdre, parce que de toute façon c'est ce qui nous arrive tout le temps. C'est hormonal, m'explique Thomas. Les femmes retiennent l'adresse des magasins de chaussures, mais pas le plan des rues. Elles communiquent mieux, apprennent plus facilement les langues étrangères, enregistrent plus exactement les traits et les mimiques des gens, mais elles se penchent sur le plan d'une ville sans rien y comprendre, comme si c'était un tapis persan. Si on administre à un homme des œstrogènes, poursuit-il doctement, il perd immédiatement son sens de l'orientation, mais il se met à parler, et il a aussi une meilleure capacité d'écoute.

Alors, à partir de maintenant, je ne vais plus te nourrir que d'escalopes de veau, dis-je.

Il rit. Tu veux dire que je ne t'écoute pas ?

100

Je réponds en toute franchise : Souvent, je me demande si tu ne fais pas semblant.

J'écoute toujours très attentivement, même si je n'en ai pas l'air.

Ah, bon ! dis-je faiblement.

Il a été prouvé que les patients sous anesthésie entendaient encore très bien ce qui se passait autour d'eux. Depuis, on jure un peu moins pendant les opérations.

Tout content, il fredonne au volant et passe son bras libre autour de mes épaules.

Au tout début de mon amour, il y a quelques mois, je parcourais du bout des doigts toutes ses taches de rousseur et les grains de beauté sur sa peau comme si c'étaient les constellations du système solaire. La peau de mon chéri allait être la carte routière de la suite de mon existence, je ne me guiderais sur rien d'autre, mais elle mène au néant. Paralysés de peur, nous ne bougeons ni pied ni patte, raides et figés tels des scarabées tombés sur le dos. Pas un mouvement, telle est notre devise, ça ne pourrait qu'empirer. Entre autres manœuvres de diversion, il court comme un fou autour du cimetière, maintenant que les jours sont devenus plus longs, même le soir, le samedi il s'entraîne au parcours du marathon, le dimanche on court dans ces stupides labyrinthes.

Dès la sortie de l'autoroute, une première pancarte : LABYRINTHE DANS LE CHAMP DE MAÏS – POUR AMUSER PETITS ET GRANDS.

Thomas commence à siffloter. Je m'efforce de me réjouir de le voir si content. Il a l'air bien plus heureux que lorsque je le contrains à rester à la maison, sur le balcon. Là, il s'installe, maussade, sur la chaise longue, feuillette bruyamment et impatiemment ses revues médicales, il ne sait pas comment s'occuper. Alors que moi, j'adore découvrir tous les nouveaux boutons de pétunia ou de géranium, arroser avec précaution les jeunes plants de tomates contre le mur, sentir l'odeur entêtante des feuilles, croquer des petits morceaux de pastèque, me vernir les ongles, cligner des yeux en regardant le soleil et surtout ne pas bouger de ce balcon.

Un instant après l'autre, je reconquiers la vie. Thomas ne le comprend pas. Florian, si.

On a élevé ensemble un pigeonneau. On n'avait plus le cœur de chasser le couple de parents désespérés, de détruire leur nid improvisé et de jeter les œufs à la poubelle.

Allez, a dit Florian un beau jour, on va avoir un animal domestique.

On s'est mis à donner du grain aux parents, pour qu'ils ne s'agitent plus en battant des ailes quand nous nous approchions du nid, on leur a construit une paroi de protection en plastique le jour où il a neigé alors qu'on était au mois de mai, on les a joliment installés sur le balcon, on protégeait l'œuf quand exceptionnellement les deux parents s'en allaient, on avait posé une bouillotte à côté du nid.

Soudain, on était tout contents de les entendre roucouler le matin, on disait bonjour à Paloma et à Paul – c'est ainsi qu'on les avait appelés – en émettant à notre tour des roucoulements stupides, et on tremblait d'impatience le matin où un horrible petit poussin s'est frayé du bec un chemin de l'intérieur de cet œuf vers la liberté. On l'a baptisé Pablo et on a fêté sa naissance en buvant des *mojitos* sur le balcon, pour finir ivres en dansant tous les deux la salsa.

Tout ça, je ne l'ai pas raconté à Thomas : ma ridicule petite vie de tous les jours, avec mon pensionnaire et ami pédéraste et la famille de pigeons.

À présent, le poussin sait voler, Paloma, Paul et Pablo ont disparu, mais grâce à eux je me souviens de mon deuxième printemps sans Fritz. J'ai retrouvé une mémoire qui me décrit seule dans le temps. Sans Fritz, mais pas non plus comme une tache noire. Peu à peu, je recommence à prendre couleur. Je collecte mes infimes moments de bonheur telles de petites perles d'amour.

Des épis de maïs nous indiquent le chemin. Nous arrivons dans une cour déserte goudronnée, écrasée de soleil, un chien maussade, dont l'articulation de la hanche semble détraquée, part se mettre à l'ombre en boitant. Le parking est déjà plein, une grosse fille en débardeur mauve brillant est assise à l'entrée du labyrinthe et somnole. Thomas se précipite vers elle ; il prend immédiatement deux tickets avant même que j'aie eu le temps de sortir de la voiture.

J'entends la fille dire d'une voix traînante qu'on peut gagner un week-end dans un hôtel superchic au bord du Kochelsee, à condition de trouver la sortie en moins de deux heures.

C'est le défi que Thomas va essayer de relever. À Erlenbach, on a gagné un aspirateur de table ; dans la Holledau, un coffret de cinq couteaux. À Burgen, je m'étais foulé le pied et nous sommes sortis trois minutes trop tard pour gagner le vol pour deux personnes à Majorque, alors que Thomas m'avait portée sur son dos pour parcourir les derniers mètres.

De grosses mouches à viande bourdonnent autour de ma tête comme de petits hélicoptères, les taons m'adorent, les guêpes sortent, les moustiques femelles exultent. Les insectes se plaisent dans les champs de maïs. Je m'enduis jusqu'au dernier centimètre de peau dénudée de crème Autan, dont je sais pourtant par expérience qu'elle ne protège pas vraiment. Je sacrifie donc en silence mes bras et mes jambes, puisque j'ai eu la bêtise de mettre une robe – la robe bleue, il l'aime tant sur moi. Chaque fois que je la porte, il m'observe d'un regard étonné et dit : C'est fou ce que cette couleur te va bien !

Tu viens ? appelle-t-il, impatient.

J'entends au loin des cris d'enfants et toujours les mêmes exclamations : « On est déjà passés par là ! » – « Par où on passe ? » – « Viens par là ! » – « Non, là, c'est là qu'il faut passer ! »

De petits fanions triangulaires blancs dansent au-dessus des plants de maïs comme des voiliers sur la mer. Aucune idée de la raison pour laquelle on vous colle toujours à la main ces fanions ridicules, peut-être pour, le soir, quand tous les autres ont trouvé la sortie, pouvoir appeler au secours en les agitant et être sauvé par un paysan hochant la tête d'un air réprobateur, avec en poche la recette sonnante et trébuchante de la journée.

Mais viens, maintenant, dit Thomas, impatient. Il n'y a pas encore de moustiques à cette heure-ci !

Thomas, tu as emporté l'eau ?

Oui, il a pris tout ce qu'il fallait, il a toujours tout ce qu'il faut sur lui. C'est moi qui oublie, qui suis distraite, qui m'égare.

Il m'attrape par la main énergiquement et m'entraîne dans le sombre labyrinthe. Ces plants de maïs hauts et laids sentent les produits phytosanitaires ; le premier pas me fait peur chaque fois. J'ai tout de suite l'impression de perdre définitivement le contrôle de ma vie embrouillée. Je jette un dernier regard nostalgique vers la percée de lumière de l'entrée. Déjà Thomas prend le premier tournant d'un pas résolu, brandissant le fanion blanc comme s'il était sûr de sa victoire. Je trotte derrière lui, tête basse. L'avant-dernière fois, j'ai essayé de marquer l'itinéraire avec des confettis que j'avais dans la poche de mon pantalon, mais au bout de quelques minutes Thomas a vu ces petites taches multicolores dans l'herbe et il m'a demandé des explications.

Il trouvait que ce n'était pas jouer franc jeu, je gâchais le plaisir, je n'avais donc pas confiance en lui, il n'avait pas besoin d'une Ariane. Un homme, un vrai, ne se perdait pas.

Un couple vient à notre rencontre en riant, elle tout en rouge, lui en vert. Ici, je suis sûre qu'on y est déjà passés, observe-t-elle, je pourrais le jurer.

Oui, oui, fait Thomas en les croisant, tout le monde dit toujours ça.

Nous voilà parvenus à l'étape de la première énigme : c'est la sempiternelle énigme du Sphinx (Qu'est-ce qui marche à quatre pattes le matin, sur deux pattes à midi et sur trois pattes le soir ?) et un petit bout de labyrinthe en carton sous forme de puzzle. C'est seulement après avoir assemblé tous les morceaux du puzzle qu'on aura quelque chance de passer le week-end au bord du Kochelsee.

Je rêve de mon balcon et de toutes mes fleurs, qui sont en train de s'ouvrir en ce moment même. Fais qu'un bégonia s'ouvre. Un pétunia. Un géranium. J'entends encore mon père claquer des doigts : « Juste maintenant, à cet instant précis, un bégonia s'ouvre. Maintenant un pétunia. Et maintenant un géranium. »

Fais que mon amant revienne, comme jadis au mois de mai.

Allez, viens, me presse Thomas en regardant sa montre.

Des enfants franchissent le prochain tournant en riant, on entend des mères les appeler de coins éloignés du labyrinthe. Devant nous marche à pas lents et prudents un vieux couple vêtu de costumes kaki, on croirait des explorateurs des tropiques. Je me retourne vers eux en les dépassant, et je leur fais un petit signe de tête. Ils répondent à mon signe avec quelque retard, regardent à nouveau leur plan et les rangées de maïs, très haut au-dessus d'eux. On dirait qu'ils sont perdus, comme s'ils s'étaient égarés depuis des temps immémoriaux et ne pouvaient se rappeler à quel moment de leur vie cela était advenu.

J'ai l'impression qu'on tourne en rond, et ce depuis plus de vingt minutes. Thomas a le front couvert de sueur. Il s'arrête, me donne son fanion et enlève son chapeau. Je le regarde aimablement. J'ai appris à ne pas adopter une attitude critique lorsqu'il ne sait plus quoi faire.

Je vais trouver, m'assure-t-il.

Je baisse les yeux et gratte la terre avec le pied. Il tire la bouteille d'eau du sac à dos, me l'offre en premier, après un instant d'hésitation. Il jette un coup d'œil goguenard sur mon sac à main.

Tu trimbales toujours cet énorme sac. Je me demande vraiment ce que tu peux avoir là-dedans.

Des confettis et des pelotes de laine, dis-je sèchement.

Pas question, reprend-il en remettant dans le sac la bouteille qu'il a presque entièrement vidée, on continue, et on ne triche pas.

Il me donne un baiser trempé de sueur.

Le fil d'Ariane ne lui a servi à rien non plus, dis-je encore en soupirant. En définitive, Thésée l'a bien abandonnée sur son île déserte.

Qu'est-ce que tu racontes ? Il ne pouvait pas faire autrement.

Pourquoi ? Je l'ai oublié.

Parce que Ariane était la propriété de Dionysos et non la sienne. Et il était quand même si triste qu'il a oublié de hisser la voile blanche et que son père s'est jeté du haut de la falaise en voyant approcher la voile noire.

Tu connais ça par cœur.

Oui. Je suis spécialiste des tragédies.

Le couple vert et rouge qu'on a vu tout à l'heure tourne devant nous. Ils n'ont plus l'air tout à fait aussi contents. Un enfant pleure désespérément dans une travée parallèle.

Thomas se met à fredonner machinalement ; il me prend la main.

Alors, s'exclame-t-il d'un ton jovial, tu crois qu'on est où ?

Je crois qu'on tourne en rond, dis-je avec la plus grande franchise.

Qu'est-ce que tu ferais sans moi, reprend-il en riant. Regarde, le soleil est là, c'est le sud-est. Avec une montre et le soleil, on ne peut pas se perdre.

Il continue joyeusement en me traînant derrière lui.

Le vieux couple en costume kaki est planté dans une allée, ils regardent autour d'eux, perdus.

Tiens, ceux-là, on les a déjà vus, observe Thomas.

Oui, parce qu'on tourne en rond, dis-je tout doucement.

Thomas n'écoute pas.

Nous croisons une famille avec trois enfants en tee-shirts jaunes ornés d'une inscription : « J'aime le champ de maïs. » La mère soupire, le père gronde, les enfants râlent. Je ne suis pas perdu ! crie le père hors de lui. En plus, c'est *vous* qui vouliez à tout prix entrer là-dedans !

On passe devant eux, la mère regarde d'un air mélancolique Thomas, qui lui fait l'effet d'être aussi compétent qu'un sherpa. Comme si lui seul connaissait le bon chemin.

Je répète trois fois que j'ai l'impression de tourner en rond. Nous rencontrons encore le couple rouge et vert. Elle s'est mis un mouchoir sur les yeux. Et ses épaules se haussent et s'abaissent tandis qu'il regarde nerveusement autour de lui et lui tapote le bras avec maladresse.

Je regarde discrètement ma montre. Déjà une heure et quarante-huit minutes que nous tournons. D'horribles pustules rouges apparaissent sur les jambes nues de Thomas. Il ne devait pourtant pas y avoir de moustiques à cette heure-ci. De sombres taches de transpiration se sont étendues sur son tee-shirt, la bouteille d'eau est vide, les pommes et les œufs durs ont été consommés, la sortie n'est toujours pas en vue. Bon, d'accord, reconnaît-il avec un sourire contraint, le week-end au Kochelsee, plus la peine d'y penser. Désolé, Betti.

Ça ne fait rien, dis-je. Et timidement j'ajoute : Tu ne sais plus où on est ?

Ah ! s'exclame-t-il très fort. Il ne manquerait plus que ça. Et il continue son chemin d'un pas lourd, comme si on était partis pour franchir le pôle Nord, vaincre l'Annapurna, traverser le désert de Gobi. Mes chevilles sont enflées, mon épaule tout engourdie du poids de mon sac.

Je n'en peux plus, dis-je d'un ton lamentable.

Il ne se retourne pas. C'est seulement quand il s'aperçoit de mon absence qu'il revient sur ses pas.

Ah, Betti, fait-il en soufflant un peu. Allez, viens, c'est amusant quand même.

Là, je ne réponds rien, pour ne pas troubler l'écho sourd de sa phrase, peut-être l'entendra-t-il. C'est amusant, quand même. Il a la tête basse.

Je demande encore : On s'est perdus ? Où est-on ? Sais-tu par où il faut passer ?

Je me laisse tomber sur l'herbe jaunie toute piétinée. Nous avons dû atterrir dans une voie latérale, car on ne voit plus passer personne. Il s'assied à côté de moi.

Tu sais où on est, toi ? murmure-t-il doucement.

C'est la première fois qu'il me demande le chemin. La première fois qu'il demande le chemin à qui que ce soit, d'ailleurs.

Non. Ça fait des heures qu'on tourne en rond.

Quoi ? Pourquoi est-ce que tu ne m'as rien dit ? Il me regarde en hochant la tête.

Mais je te l'ai dit, seulement tu ne m'écoutes pas.

C'est vrai. Je suis désolé.

De toute façon, tu écoutes très mal.

Je n'ai aucune idée de l'endroit où on est, glousse-t-il. Pas la moindre idée.

Il m'attire contre lui. On est complètement perdus, me chuchote-t-il à l'oreille.

Complètement, dis-je à mon tour dans un murmure.

Des buses tournent au-dessus de nous. Au loin, on entend des voix.

On ne sait plus où aller.

C'est pour ça que tu t'es installée avec un autre homme ? demande-t-il à voix basse.

Ce n'est pas un autre homme.

Une autre personne.

Oui.

Il se tait et trace du bout d'une brindille des dessins sur la terre sèche entre les pieds de maïs.

Je reprends tout bas : De quoi as-tu peur ?

Je n'ai pas peur, s'empresse-t-il de répondre.

Pourquoi... pourquoi...

Quoi ?

« Pourquoi est-ce que je ne te suffis pas, pourquoi prends-tu des pilules, pourquoi en as-tu besoin ? » Voilà ce que je voudrais lui demander.

Pourquoi quoi ? Parle.

Pourquoi est-ce que tu ne veux pas t'installer avec moi ?

Quel avantage ça présenterait pour nous ?

La vie de tous les jours. On partagerait la vie de tous les jours.

La vie de tous les jours. Il rit et pose la tête sur mes genoux. J'écarte sur son front les cheveux collés par la sueur. La vie de tous les jours est épouvantable, soupire-t-il.

La vie de tous les jours est merveilleuse.

Il se redresse et me regarde droit dans les yeux. Comment peux-tu dire ça ? demande-t-il. Comment peux-tu dire une idiotie pareille ?

Parce que, comme d'une façon générale la vie est d'un ennui mortel, dis-je en essayant de plaisanter, il vaudrait peut-être mieux se concentrer sur les petites choses...

Oh là là, répond-il en s'ébrouant, ça fait penser à la culture de rosiers et à la vieillesse.

Mais non, pas du tout ! Je me lève en agitant nerveusement mon sac à main. Tu es tellement cynique et froid, pourquoi ?

Il me regarde par-dessous avec un sourire de travers. Voilà quelqu'un qui est très en colère, observe-t-il.

Et je crie : Oui, cette fois je suis vraiment en colère. Contrairement à toi, qui contrôles toujours tout si parfaitement. Surtout, ne rien laisser au hasard ! Plutôt prendre n'importe quelle pilule pour que tout se déroule exactement comme prévu.

Il détourne la tête d'un mouvement rapide.

Il faut du courage pour la vie quotidienne ! dis-je en hurlant. Parce que c'est un désastre ! Ce n'est qu'un immense désordre avec des sentiments bizarres, un morceau de forêt vierge impénétrable – alors là, *toi*, tu n'essaies même pas d'y entrer. Ou alors, tu y vas avec une machette et tu commences par faire le ménage consciencieusement. Il faut que rien ne pousse, ça pourrait être dangereux. Mais en t'y prenant comme ça, tu risques de massacrer aussi quelques orchidées !

Tout ça devient un petit peu kitsch, non, tu ne trouves pas ?

Il se laisse retomber en arrière, appuyé sur les coudes, et croise les jambes d'un air particulièrement nonchalant. Il me détaille avec amusement. Je me sens laide. Son regard remonte le long de mes mollets blancs et trapus, de mon ventre rond, de ma grosse poitrine, il observe les taches de transpiration sous mes aisselles, mes cheveux gras, mon nez luisant.

Peut-être sent-il, bien qu'il garde les dents serrées, son cœur qui bat, son cœur qui s'affole comme un petit animal prisonnier. Elle ne peut pas me faire ça. Elle n'a pas le droit.

Il sourit. Ça, il sait faire.

J'explose : Dis quelque chose, dis quelque chose ou…

Il se tait et sourit.

Sinon je m'en vais !

Sa respiration est tremblante, mais il continue de sourire. Personne, personne n'a le droit de le mettre dans ce ridicule état de panique.

J'hésite, en fait, je n'ai aucune envie de partir, mais comme il n'arrête pas de sourire avec suffisance, je fais demi-tour et je m'éloigne. Je franchis la rangée suivante, et il n'est plus là.

J'erre aveuglément dans ce labyrinthe maudit, ma gorge desséchée brûle de soif, j'ai la poitrine en feu. Je connais cette douleur : la douleur des adieux. Je m'arrête.

Fritz, dis-je en pleurant, aide-moi.

Mais Fritz ne souffle pas un mot. Il m'abandonne à ma solitude et à mon égarement, comme un enfant dans la forêt profonde. J'ai peur.

J'essaie de retrouver le chemin pour rejoindre Thomas, je ne me suis pourtant pas éloignée beaucoup, mais toutes les rangées de maïs se ressemblent. Je tourne en rond tel un canard décapité, et le soleil commence à baisser, éclairant d'une lumière jaune clair les épis de maïs au-dessus de ma tête.

Le désespoir m'envahit, je finis par arrêter un groupe de jeunes filles en pantalons et vestes de combat qui passent devant moi en riant. Je suis défaite, couverte de sueur, pour elles je ne suis qu'une vieille en robe bleue, pas du tout habillée pour une expédition dans le labyrinthe ; elles me considèrent avec pitié, et avec une certaine impatience.

On a déjà fait le circuit trois fois, disent-elles, bien sûr, vous pouvez nous suivre.

En l'espace de quelques minutes, elles me conduisent à la sortie, toute proche cette sortie, ridiculement proche.

Sa voiture est toujours là, mais pas trace de lui. Je me fais donner un coca, tout poisseux, par la fille au tee-shirt de Lurex mauve. Une chance que j'aie mon sac à main, un peu d'argent, ma clef. J'ai repris cette habitude de mes années folles avant Fritz : Ne sors jamais avec un homme sans argent sur toi et sans ta clef, tu ne sais pas comment se terminera la soirée. Je crois que c'était ma mère qui m'avait fait cette recommandation.

Combien de fois suis-je rentrée seule à la maison après une dispute, combien de fois ai-je refermé derrière moi la porte de ma chambre d'étudiante avec un soupir de soulagement, pour me mettre au lit tranquillement, toute seule.

Je m'assieds sur le capot de la voiture de Thomas, chauffé par le soleil, et je contemple le coucher de l'astre, les derniers petits triangles blancs des visiteurs du labyrinthe qui s'agitent au-dessus du champ.

111

Le ciel commence à prendre une teinte bleu-vert et l'étoile du berger apparaît, les dernières voitures sont parties, je suis toujours là. Il n'y a plus un seul petit triangle blanc au-dessus du champ de maïs.

La grosse fille ferme sa cabane et s'en va d'un pas traînant vers la ferme. Je m'allonge sur la tôle encore chaude du capot et regarde les autres étoiles s'allumer une à une suivant un plan bien établi.

Je sens alors à côté de moi la présence de Fritz.

Bonjour, dis-je doucement.

Bonjour, répond-il, il me prend la main et la secoue légèrement, comme il faisait toujours. *Quelquefois, aussi, tu es un peu sotte*, dit-il. *Qu'est-ce qu'il t'a fait ?*

J'entends le sifflement de l'ouverture automatique des portières, je reste couchée, je ne me redresse pas. Thomas s'assied dans la voiture, et je reste allongée devant lui, assez décorative, j'espère, sur le capot. Je me retourne lentement sur le ventre pour l'observer à travers le pare-brise. Il a le front brûlé, les cheveux en bataille, on dirait qu'il revient d'une terrible expédition ; il boit avidement l'eau d'une bouteille restée dans la voiture, elle doit être chaude. Il me regarde tout en buvant.

Je me laisse glisser du capot et monte à côté de lui dans la voiture. J'ai mon plan. J'ouvre en silence les boutons de sa chemise. Il se laisse faire, sans bouger. Lorsque j'arrive à son pantalon, il essaie de retenir mes mains.

Laisse-moi, dis-je, je t'en prie.

Je veux prouver quelque chose, lui prouver et me prouver quelque chose. Ça doit aussi marcher sans pilule.

Mon cœur bat fort, car si je ne réussis pas, nous n'aurons aucune issue. Nous resterons encore un moment ensemble, poliment, nous nous verrons quelquefois, peut-être même ferons-nous l'amour une ou deux fois, il n'avalera qu'à contrecœur sa pilule bleue – elle attend quelque chose de moi, il faut que je fonctionne –, les rencontres s'espaceront, j'éviterai le petit cimetière, lui aussi sans doute, nous nous croiserons par hasard un jour ou l'autre en faisant des courses, comme ça ne nous est jamais arrivé jusqu'alors et ne nous arrivera jamais plus, nous nous sourirons tristement, et nous saurons que nous avons échoué. Il renverse la tête en arrière.

Si quelqu'un vient ! murmure-t-il.

On s'accorde tacitement sur ce point, cette excuse pour sa faiblesse, sa peur, son refus, son échec. Qu'est-ce exactement ? Et est-ce ma faute ? Il cherche à m'écarter de son ventre, mais je résiste.

Si quelqu'un vient, répète-t-il.

Si quelqu'un vient, quelqu'un me verra. Profondément penchée sur lui, je ne renonce pas, longtemps, longtemps encore. Et peu avant que la déception l'emporte et que nous abandonnions tous deux, tristes et muets, prisonniers de notre impuissance comme d'une étroite cage, j'aperçois dans le vide-poches de sa portière un paquet de bonbons à la menthe Altoïd.

Habituellement je les trouve trop forts, mais je me souviens d'avoir lu dans un journal féminin un article où il était question de l'effet explosif de ces bonbons précisément, pour certains usages bien déterminés ; je tends la main discrètement vers la boîte, l'ouvre sans qu'il s'en aperçoive et me glisse une pastille dans la bouche.

Quelques secondes plus tard, une secousse parcourt tout son corps, comme s'il recevait une décharge électrique. Je ris de bonheur. Ça marche. Dieu bénisse tous les journaux féminins. Il s'arc-boute, je l'entends respirer fortement, il m'attire sur lui, et dès lors ce n'est plus seulement le bonbon à la menthe qui nous vient en aide, mais aussi notre épuisement, l'obscurité, la situation absurde, la peur d'être surpris par le paysan qui viendrait encore faire le tour de son champ de maïs pour chercher les disparus.

On dirait l'amour au ciné-parc quand on a quinze ans, c'est rapide, bâclé, horriblement inconfortable et, pour moi au moins, pas particulièrement satisfaisant, mais nous nous libérons tous deux de nos histoires respectives pendant ces brefs instants, nous en sortons à l'instar de personnages figés qui sortiraient brusquement d'une peinture à l'huile, nous nous aventurons dehors et avançons timidement sur l'herbe verte, nus et étonnés, tels Adam et Ève en permission. Ça marche donc quand même.

Il me couvre le visage de petits baisers. La soudaineté de ce bonheur, qui porte en lui sa perte comme une pêche son noyau, me fait chavirer.

Non, non, non, dit Thomas, on ne pleure pas. Je t'en prie.

Il raccroche mon soutien-gorge, remonte la fermeture Éclair. Nous nous asseyons correctement côte à côte, il me prend la main. Longtemps, nous gardons le silence en regardant à travers le pare-brise le grand champ de maïs qui ondule comme la mer, puis il éclate de rire tout à coup et dit : Je ne sais pas pourquoi ça me vient à l'esprit juste maintenant, mais enfant, je devais avoir six ou sept ans, j'avais un ami riche. Il habitait une grande maison claire, avec de si nombreuses pièces que je m'y perdais chaque fois. Sa mère était une déesse, une très belle femme, avec des cheveux blonds d'une longueur impressionnante, qu'elle portait libres. Je rêvais de toucher ses cheveux. L'après-midi, souvent elle nous laissait seuls, mais il y avait de nombreuses règles concernant tout ce que nous n'avions pas le droit de faire, et il était rigoureusement interdit d'entrer dans la chambre à coucher. J'apercevais parfois le grand lit par la porte entrouverte, la moquette gris clair, sa table de toilette. Comme il nous était défendu de pénétrer dans cette chambre, le désir d'enfreindre cet interdit ne cessait de grandir.

Un après-midi, c'est ce qui arriva. Je ne sais plus où était mon ami, en tout cas j'ai poussé la porte et je suis entré. La chambre était imprégnée de son parfum. Le lit conjugal était recouvert d'un couvre-lit de soie verte lisse et avait un air mystérieux. J'essayai de me la représenter dans ce lit, en chemise de nuit, et sous cette chemise de nuit, nue.

J'ai fait le tour du lit, je l'ai touché. Mes pieds s'enfonçaient sans bruit dans la moquette. J'ai pris sa brosse, j'y ai vu de longs cheveux dorés, et je me suis vu moi-même dans le miroir, un petit idiot avec un pull à rayures et une coupe de cheveux ridicule. Je me détestais pour ma sottise et mon innocence. Je me vois encore planté là, la brosse à la main, quand je l'ai entendue nous appeler. Elle était revenue à la maison à l'improviste. Je suis sorti de la chambre et j'ai couru rejoindre mon ami. Il n'a pas fallu longtemps pour qu'elle s'écrie : Qui est entré dans ma chambre ? Elle se tenait devant nous, immense, je voyais sa chevelure blonde frémir sous l'effet de sa colère.

On a répondu d'une seule voix : Pas nous !

Et elle a crié : Vous mentez…

On a répliqué, en pleurant, qu'on ne mentait pas.

Elle nous a traînés par le bras jusqu'à la porte de la chambre en nous désignant l'intérieur de la pièce. On voyait très bien les empreintes de mes pas sur la moquette. Tous les pas que j'avais faits. Jusqu'au lit, tout autour du lit, vers sa table de toilette et retour vers la sortie.

Thomas rit. Il y a trente ans que je n'y avais pas pensé. Et brusquement ça me revient à l'esprit.

Je lui baise la main. C'est la première fois que tu me racontes quelque chose qui te concerne, dis-je.

Il soupire. Les histoires. Ce n'était qu'une histoire.

Pourtant, je proteste, c'était toi. Je t'ai très bien reconnu.

C'est une erreur très répandue, reprend-il en me retirant sa main. Nous ne sommes plus ceux que nous avons été jadis. Le passé est révolu. Il n'est plus que souvenir.

Mais nous faisons partie de notre passé, tu ne crois pas ?

Non, répond-il avec véhémence, nous n'en faisons pas partie. Le souvenir de notre passé est notre invention.

C'est en voulant nous souvenir que nous créons les images qui s'emmagasinent dans notre cerveau. Nous inventons nos souvenirs, tu comprends ? Tous les souvenirs sont toujours les souvenirs de souvenirs. Et plus les rappels d'un souvenir à la mémoire sont fréquents, plus les images du souvenir se clarifient, au point que, un jour ou l'autre, nous finissons par y croire nous-mêmes.

Ah, Fritz, dis-je, déçue. Pourquoi ne veux-tu pas conserver de souvenirs ?

Parce qu'ils sont irréels, répond-il après une petite pause. Voilà pourquoi. Ils consolident une image de nous qui est pure invention. Le passé objectif n'existe pas, il n'y a que l'effet sur nous de notre passé inventé.

Mais je l'aime, ce petit garçon dans la chambre à coucher.

Justement, rétorque-t-il. Il n'existe plus, mais maintenant tu as décidé que tu l'aimais, et tu n'auras de cesse que tu ne l'aies retrouvé en moi.

C'est affreux, dis-je, et j'ouvre la fenêtre.

L'air s'est rafraîchi. J'ai la chair de poule.

Je sais, fait-il, et il met le moteur en marche. Je suis de nuit.

Tu ne me l'avais pas dit.

Oublié.

Nous quittons le parking sans bruit, nous longeons les maïs qui se balancent sous le vent. Brusquement, sans que rien le laisse prévoir, j'ai chaud et froid en même temps. Ai-je appelé Thomas Fritz ? Lui ai-je dit tout à l'heure Fritz, par inadvertance ? Ou l'ai-je seulement pensé ? Est-ce pour ça qu'il s'est à nouveau replié comme un escargot dans sa coquille ? Est-ce pour ça que nous rentrons maintenant en ville ? Si je l'ai vraiment dit, quand était-ce ? Et l'a-t-il seulement entendu ?

Si le nom de Fritz m'avait échappé, c'était uniquement parce que j'avais été si inespérément et inexplicablement heureuse juste avant. Parce que j'avais retrouvé le souvenir de moi-même telle que j'étais autrefois, allègre, insouciante, et un peu naïve. Jamais je ne pourrais lui expliquer ça.

Nous rentrons en silence, il me laisse devant ma porte, je pose un baiser sur sa bouche fermée, sèche. Nous ne prenons pas rendez-vous pour la semaine prochaine.

Florian vient m'attendre sur le palier.

Oh mon Dieu ! s'exclame-t-il en me voyant. Je vais nous servir un Chivas.

Cher Thomas,

Je regrette de devoir t'écrire maintenant. Je me creuse les méninges pour savoir ce que j'ai pu faire de mal. Il y a plus de trois mois que nous marchons sur des œufs tous les deux, comme si nous allions tout casser à chaque instant. Ou plutôt, toi. Une seule fois j'ai osé piquer ta coquille, et pour me punir tu me tiens à distance.

Je t'écris parce que j'ai décidé de partir lundi avec Florian au Mexique, pour le jour des Morts. Le 2 novembre est l'anniversaire de la mort de son ami Alfred, et il y a deux jours nous avons vu à la télévision un reportage sur Oaxaca, la fête des Morts, qui se déroule à la Toussaint, où on organise de gigantesques fêtes au cimetière. Ça nous a paru tellement rassérénant à tous les deux que nous nous sommes précipités à l'agence de voyages dès le lendemain matin et avons acheté deux billets pour Mexico. J'aurais bien voulu en parler avec toi avant, mais je ne peux pas t'appeler comme ça à l'hôpital, ni simplement passer chez toi. Tu as réglé nos rencontres comme des heures de visite. En outre, je ne sais pas ce que tu aurais dit de mon projet, tu le trouveras sans doute complètement débile, tu n'aimes pas que l'on parle de la mort, et tu n'as certainement pas non plus envie de danser dans un cimetière.

J'ai toujours eu peur de la mort, d'aussi loin que je me souvienne.

Je me rappelle très précisément qu'à l'âge d'environ quatre ans je me suis éveillée avec l'étrange lucidité que donne parfois l'état entre le sommeil et la veille, et j'ai réalisé que tous les hommes devaient mourir. Mes grands-parents, mes parents, mes sœurs, mes bonnes d'enfant, mes camarades de jeu, les gens que je voyais dans la rue, tous. Tous disparaissaient peu à peu de ma vue, et la Terre devenait de plus en plus vide, jusqu'au jour où je restais tout à fait seule, un peu comme le Petit Prince sur la Lune. J'étais toute seule là, sans plus personne autour de moi. C'était plus terrible que tout ce que j'avais pu me représenter jusqu'alors. Je me suis mise à pleurer amèrement, et c'est alors que j'ai eu par bonheur l'idée que je pouvais aussi aller là où étaient tous les autres : il me suffisait de mourir. J'essayai donc de me représenter ma propre mort, sans succès. Le passage de l'état de vie à l'état de mort semblait infranchissable. Je ne pouvais pas rejoindre les autres, et je ne pouvais donc pas non plus savoir où ils étaient.

Je n'ai aucune idée de ce que peut être la mort, bien que j'en aie fait l'expérience depuis. J'ai très bien vu le passage de l'état de vie à l'état de mort, et pourtant je ne sais pas ce que c'est. Ça m'a paru si irréel. Si banal et d'autant plus terrible. Tout se brise, tout. Je n'arrive pas à dépasser ça, et ça ne me console pas de penser que d'après Einstein l'énergie ne se perd pas. On pourrait en déduire qu'après sa mort on se transforme éventuellement en eau, qui devient elle-même le glaçon plongé dans un verre à cocktail, la vague dans l'océan, des larmes, de l'Évian ou un geyser.

Peut-être que les Mexicains en savent davantage là-dessus.

Je t'écrirai tous les jours.

Je t'embrasse.

Babette

Le vol, annoncé comme un vol Air France, se révèle être d'une compagnie mexicaine, ce qui effraie profondément Babette, car elle est fermement convaincue que les Européens ont des vols plus sûrs que les autres, surtout que les Mexicains. Peut-être qu'elle ne devrait pas y aller. Peut-être que ce voyage mène à la mort.

Elle essaie d'analyser exactement sa peur pour savoir si c'est un signe du destin ou une manifestation d'hystérie. Qu'y a-t-il de vrai dans toutes ces histoires de gens qui ont eu un étrange pressentiment, qui sont restés chez eux et, du coup, ont survécu ? N'avait-elle pas éprouvé un *sentiment* de ce genre juste avant Bali ? Non, il faut être honnête, non. Pas le moins du monde. Elle n'a rien ressenti, et il est arrivé cette chose inimaginable. Si elle ressent quelque chose maintenant, alors ça devrait vouloir dire que cette fois il ne se passera rien.

Mais les lois de la logique ne sont pas celles du destin. Peut-être devrait-elle quand même rester ici au dernier moment ? Ne pas monter dans l'avion ? Il faudrait qu'elle l'explique à Florian. Il faudra décharger sa valise, environ deux cents passagers la détesteront à cause du retard, ce sera embarrassant, et elle devra aussi expliquer ses angoisses irrationnelles aux hôtesses, peut-être même en français.

Non, elle ne peut pas. L'idée lui donne le coup de grâce, elle monte donc avec Florian dans un vieux DC 10 brinquebalant et constate, pour ajouter encore à sa terreur, que ce vol est sans doute le tout dernier vol fumeurs du monde. Elle avait pourtant spécialement posé la question !

Mais personne n'a pensé à ce moment-là aux Mexicains. Ils fument toujours. Certes pas dans tout l'avion, mais dans les deux rangs du fond. Juste là où sont installés Florian et Babette. À côté d'eux, une place libre, ils se réjouissent déjà d'avoir un tout petit peu plus d'espace pour les jambes, mais à peine l'avion a-t-il démarré que cette place se révèle être mise à la disposition de *tous* les fumeurs du vol.

À la plus grande fureur de Babette, même les passagers de la classe affaires viennent sur ce siège pour s'en griller une à l'aise, surtout une élégante dame d'un certain âge en tailleur Chanel, qui allume une cigarette avec le mégot de l'autre. Douze heures jusqu'à Mexico.

Babette et Florian tentent une rébellion. Ils menacent la dame d'en venir aux mains, fraternisent avec d'autres passagers, remettent une pétition au responsable de cabine. Pour finir, le commandant prend la parole au haut-parleur et précise d'un ton sévère que tous ceux qui désirent fumer sur ce vol en ont le droit.

Désespérés, Babette et Florian s'enroulent sur leurs sièges comme des paupiettes, de la fumée plein les poumons, et ils essaient de dormir.

Babette contemple à travers le hublot le ciel noir qui s'étend à l'infini, où leur propre petite histoire se dilue telle une goutte d'eau dans la mer. À demi endormie, elle ne sait plus très bien si elle est encore en vie, si haut dans les airs, dans cette carlingue métallique, ou si ce sont tous les morts qui planent au-dessus des vivants, là-bas. À l'avant sont installés ses grands-parents, sa tante Frieda, le voisin de la Olgastrasse qui s'est tué dans un accident de voiture, et lui, de l'autre côté, n'est-ce pas Kurt Cobain ?

Fritz est assis à côté d'elle, et deux rangs derrière, elle découvre la coupe en brosse de M. Shun, mort, comme Fritz, et comme elle-même.

Ce n'est pas désagréable de séjourner là. On leur montre un tas de films, on leur donne à manger régulièrement. Les troubles de la circulation et les risques d'embolie du fait de rester si longtemps assis, ils n'ont pas besoin de s'en soucier, tout est brusquement si simple à partir du moment où on est déjà mort, se dit-elle dans son propre rêve.

Elle regrette de devoir s'éveiller. Le petit déjeuner servi sur son plateau de plastique est déjà devant elle. Dehors il fait jour, il n'y a plus de grand trou noir. On lui tend un gant de toilette chaud qu'elle se colle sur le visage, la vie continue ! Elle étire ses membres engourdis. À côté d'elle, la dame en tailleur Chanel allume une nouvelle cigarette.

Ils survolent l'interminable océan de constructions de Mexico, pas le moindre aéroport en vue. L'avion pique du nez entre les maisons ; il cherche l'aéroport comme un oiseau son nid, puis disparaît entièrement entre les immeubles. Mais comment fait-on pour atterrir ici ? Tout ça est une erreur, une faute mortelle.

Inquiète, Babette cherche la main de Florian, elle est aussi froide et trempée de sueur que la sienne.

Ils tombent de l'avion tels des scarabées paralysés, ne trouvent pas leurs bagages, courent à travers l'aéroport, Babette tousse comme si elle avait elle-même fumé toute la nuit, Florian l'entraîne derrière lui, et ils manquent quand même leur vol pour Oaxaca. Le vol suivant part le lendemain matin. On leur indique un hôtel à l'aéroport. Une navette vient effectivement les chercher et les y conduit.

Ils sont seuls dans le bus. Le chauffeur ne dit pas un mot et oblique de l'aéroport largement éclairé dans de sombres rues latérales, qui paraissent si dangereuses qu'ils soupirent tous deux de leur propre naïveté.

Classique. Dans leur état d'éreintement absolu, ils ont négligé toute prudence. Ils se sont jetés aveuglément entre les mains du premier bandit mexicain venu, il peut les détrousser élégamment ici, à quelques mètres à peine de l'aéroport international, leur voler en toute tranquillité leur passeport et leur argent. Deux imbéciles d'Allemands morts, partis pour voir le jour des Morts.

Je n'ai même pas mon canif sur moi, murmure Florian. On dirait qu'il est vert, sous le faible éclairage intérieur du véhicule. Babette colle son visage à la vitre chaude, elle est trop fatiguée pour avoir vraiment peur. Elle se met à fredonner, des lambeaux de *pop songs* qu'on leur a fait entendre à l'atterrissage ; on leur avait diffusé cette musique dans les oreilles, sans doute pour apaiser tout le monde.

Maintenant, elle fredonne très exactement cette mélodie, pour apaiser Florian, *life is a flower, so precious in your hands,* après elle ne sait plus les paroles.

Oui, super, dit amèrement Florian.

Au bout de quelques minutes qui leur semblent une éternité à travers un labyrinthe de rues délabrées, ils débouchent tout à coup dans une artère regorgeant de lumière et voient se profiler devant eux le mirage d'un hôtel tout illuminé de néons.

Ils se précipitent dans le restaurant, commandent deux Corona, des tortillas, des haricots noirs et de la viande grillée en tranches fines avec de la salsa. Ils mangent avec délice, bien qu'ils aient déjà eu trois repas dans l'avion, mais la peur au creux de leur ventre réclame de la nourriture.

Hourra ! s'exclame Florian, on est encore en vie. *Salud !*

Débordants de gratitude, ils se glissent ensuite dans deux lits propres, personne ne fume, c'est divin !

Le lendemain matin, on s'est embarqués dans un minuscule coucou, qu'un pilote, minuscule lui aussi mais avec une grande gueule, faisait voler à très basse altitude et avec beaucoup de secousses au-dessus d'un paysage spectaculairement changeant. Je déteste ces vols ! Le pilote avait ce qu'on appelle je crois une « conduite sportive », comme certains en voiture. L'hôtesse nous a servi de la tequila dans des verres à eau, et à l'atterrissage nous étions fin soûls tous les deux. J'ai juste pu me rendre compte qu'Oaxaca se situait au fond d'une vallée verdoyante, entre de hautes montagnes jaunies par un soleil brûlant, que le ciel était bleu et l'air chaud. Nous étions ravis, même nos bagages étaient arrivés comme par miracle, nous pouvions les voir à travers une paroi de verre, pas les prendre parce que pendant un très très long moment personne ne retrouvait plus la clef – mais nous étions tellement ivres que nous avons attendu patiemment, et lorsque enfin nous sommes arrivés, nos sacs à la main, à la petite pension Casa Maria, où à part quelques araignées géantes les chambres étaient propres et plaisantes, nous étions tout à fait contents.

Le soir sur le Zocalo, la place du marché, j'ai été envahie par la félicité du touriste allemand : c'est ici que se trouve la vraie vie, dehors, dans la rue par une nuit douce et chaude, et non pas enfermée entre quatre murs dans un pays glacial, où même les chiens tremblent de froid quand ils pissent. De la musique, des gens et des fleurs : un orchestre de marimbas jouait sous les arbres au milieu de la place, des bouquetières vendaient des fleurs de gardénia toutes fraîches. Des petits garçons ciraient avec ardeur les chaussures de gros messieurs en costume, jusqu'à ce qu'elles brillent dans l'obscurité. Des enfants de la rue vendaient de petites poupées, du chewing-gum et des coupe-papier sculptés. Des écolières en uniforme – jupe plissée verte et chemisier blanc – gloussaient et jacassaient ensemble comme partout ailleurs dans le monde, on vendait des ballons gonflables, de la barbe à papa rose et des bulles de savon. Un vieil aveugle jouait sur sa guitare la plus belle musique du monde. Elle parlait de regret et de cœurs brisés, pour autant que je puisse comprendre.

Tu me manques, toi, et ce n'est pas le souvenir de toi, que tu considères de toute façon comme une fiction. Je veux dire : vraiment toi. Qui est-ce que ça peut être ? demandes-tu.

Je ne le sais pas non plus exactement, mais ce que je sais de toi suffit pour que tu me manques.

Il me manque, dit Babette.

Qui ? demande Florian.

Réfléchis un peu, imbécile.

Je ne sais pas à qui tu penses.

Moi non plus, reconnaît-elle. Je ne le sais pas très bien. Aux deux alternativement et parfois même simultanément.

Elle regarde Florian avec pitié. Il paraît si jeune. La chaleur dépose sur sa peau un film humide, de petites perles de sueur se sont rassemblées sur sa lèvre supérieure, ses cheveux bruns en bataille se dressent tout autour de sa tête. Babette sait qu'il passe de longs moments à les apprêter habilement avec du gel, afin qu'ils semblent totalement sans apprêt. Ses yeux marron sont toujours un peu ensommeillés ; c'est sexy, de même que le petit écart entre les incisives. Babette a le sentiment irrépressible qu'elle le perdra au cours de ce voyage au profit de quelqu'un d'autre. Il serait temps, d'ailleurs, songe-t-elle, au bout de deux ans ou presque. Elle se penche en avant et lui passe la main dans les cheveux.

Beurk, fait-elle en essuyant sur la nappe le gel poisseux.

Il ricane. Bien fait, dit-il.

Il achète à une fillette qui marche pieds nus deux bouquets de gardénias, un pour lui, un pour Babette. Ces fleurs blanches exhalent un parfum enivrant. Elles rappellent brutalement à Babette les fleurs blanches de frangipanier à Bali. Effrayée, elle rend le bouquet à Florian. Prends-le, supplie-t-elle, je t'en prie. Elle se dresse d'un bond et fait quelques pas sur la place pour aller s'asseoir sur un banc dans l'obscurité. Elle respire par saccades, prise de panique comme si elle avait de l'asthme, jusqu'à ce que les images du souvenir se désagrègent dans l'air chaud, tels des nuages changeant de forme. Quand, se demande-t-elle, désespérée, les souvenirs se changent-ils enfin en bons souvenirs ? Combien de fois faudra-t-il encore qu'elle se le remémore avant que ça ne fasse plus mal ?

Florian vient discrètement s'asseoir à côté d'elle, il attend en silence. Puis ils se lèvent au même instant, sans s'être donné le mot, et vont s'agréger à un groupe de personnes au milieu de la place.

On projette sur un écran géant un film consacré aux planètes, le public, assis sur des chaises pliantes, assiste dans le plus grand recueillement à la course, très haut au-dessus de leur tête, de Mars, d'Uranus et de Vénus suivant leur orbite, tandis que tout à côté des gens se pressent vers l'église, où on dit la messe.

Babette les suit et se retrouve dans la nef latérale, à côté d'hommes et de femmes rabougris qui tiennent à la main une bougie fichée dans une boîte de conserve coupée en deux.

Eres como una flor, eres la vida, marmonne le prêtre.

Tu es comme une fleur, tu es la vie.

Il y a des années qu'elle n'a pas mis les pieds dans une église. Pour ne pas oublier ces deux phrases, elle ressort vite. *Una flor. La vida.*

Elle rejoint Florian dans la file qui s'est formée devant le télescope installé par un astronome.

Tu es comme une fleur, tu es la vie, lui dit-elle.

Je pense que la vie est comme une fleur, réplique-t-il en souriant.

C'est la version mexicaine, reprend-elle, et elle se met à chanter : *Eres como una flor, eres la vida.*

Les gens qui font la queue lui sourient. Babette s'étonne de les voir si gais. Lorsque leur tour arrive enfin, l'astronome hausse tristement les épaules, rien ne va plus, l'étoile s'est cachée derrière les grands arbres, pas d'étoile pour Florian et Babette. Pour les consoler, il leur donne un bonbon.

Ils rentrent tout heureux à la Casa Maria, par les petites rues.

Passons par là, lui propose Florian en obliquant dans une étroite ruelle plongée dans le noir total. Babette hésite un instant.

Mais Florian la précède de quelques pas, quel risque y aurait-il ? La vie est étrange et paisible dans cet endroit. Un jeune homme en tee-shirt blanc arrive en sens inverse, et quand il se penche pour tripoter longuement ses chaussures de sport, Babette a encore une très légère hésitation, mais de nouveau elle n'y prend pas garde.

L'homme passe juste devant Florian, il se dirige tout droit vers Babette, qui cherche à l'éviter, seulement il est déjà planté devant elle et lui barre la route. Une main se glisse à la vitesse de l'éclair entre ses jambes, l'autre cherche ses seins, elle pousse un cri aigu, comme si on lui avait planté un couteau dans le dos. Elle attend la douleur. Elle sait que, dans les blessures à l'arme blanche, la douleur intervient à retardement.

Florian se retourne, l'homme s'enfuit, son tee-shirt blanc se détache dans l'obscurité.

Tu es blessée ? crie Florian en la prenant par le bras.

Elle réfléchit. Non, bredouille-t-elle, je ne crois pas.

Qu'est-ce qu'il a fait ? Qu'est-ce qu'il t'a fait ?

Babette tremble de tout son corps.

Ton sac ? Où est ton sac ?

Pourquoi Florian hurle-t-il si fort ? Il est là, il est là mon sac, dit Babette à voix basse, comme pour rassurer Florian.

En silence, ils se pressent de rentrer à la pension, qui se cache derrière une lourde porte de bois ; il faut ouvrir deux serrures pour y pénétrer.

Florian met la chaîne des émissions pour enfants à la télévision. Assis sur le lit, étroitement serrés l'un contre l'autre, ils regardent Tom et Jerry se poursuivre, Tom exploser dans l'air, coupé en petits morceaux, haché menu, tronçonné à la scie.

En réalité, ils ont des chambres individuelles, mais cette nuit ils se serrent tous les deux dans le lit étroit de Babette. Babette sent dans son dos la poitrine de Florian qui se soulève et s'abaisse, elle voit tous ses sentiments mêlés virevoltant comme des grains de sable dans un verre d'eau qu'on vient d'agiter. À chaque respiration qui s'apaise, les grains se déposent au fond et finalement l'eau redevient claire et pure.

Elle finit par s'endormir, elle aussi. Elle rêve d'un grand arbre aux feuilles vertes et lisses, dont il tombe toutes sortes d'animaux quand on le secoue : un lion, un léopard, une panthère, un tigre, rien que des animaux sauvages qui, une fois tombés comme des fruits mûrs, se rendent lentement et sagement dans leur cage.

Cher Thomas,

C'est le deuxième jour qu'on est ici, mais on a déjà des habitudes. Bizarre, cette façon qu'on a de toujours vouloir que tout se déroule suivant un plan régulier, mais peut-être ne nous sentons-nous bien que lorsqu'on reconnaît quelque chose : à partir de cinq heures du matin, juste au lever du jour, le perroquet qui est dans le jardin de la pension crie le nom de notre hôtesse : Maria ! Maria ! Et exactement dans le même registre, Maria nous appelle énergiquement pour le petit déjeuner : Señora Babette ! Señor Florian !

(Je sais que tu es jaloux de Florian, même si tu ne veux pas l'avouer. On a des chambres séparées, pour ton information, si seulement ça t'intéresse encore. J'aimerais tant réparer ce que je t'ai fait, mais pour ça il faudrait que je sache ce que je t'ai fait ! Je dois m'être avancée sur un terrain qui était une zone absolument interdite – comment aurais-je pu le savoir ?)

Au petit déjeuner, il y a des tortillas et des haricots noirs, et pour les touristes qui ont la digestion fragile, quelques tranches de pain blanc.

Maria est une grosse femme toute petite, autour de cinquante-cinq ans, qui boite d'une hanche et qui a réussi à construire toute seule ce petit hôtel. Elle rêve d'être touriste, une fois dans sa vie. Turista – on dirait vraiment un métier. Elle a derrière elle une vie rude, ses parents sont morts dans un accident de voiture alors qu'elle était encore toute petite. Chaque fois qu'elle m'en parle, elle se met à pleurer. Après tant de temps ! On y revient : le souvenir.

J'ai l'impression qu'on se souvient trop peu et non pas trop ! Je commence à comprendre que le deuil profond peut être la source d'un grand bonheur, mais comment te l'expliquer ? Dans la voiture, l'autre fois, au labyrinthe du champ de maïs, j'ai pleuré d'être brusquement si heureuse, et en même temps je savais que cet instant ne reviendrait jamais et que, pis encore, la condition de ce bonheur inespéré était son caractère éphémère. L'amour rend la perte non pas supportable – rien ne peut rendre la perte supportable – mais merveilleuse. Insupportablement belle.

Ton sourire dans le champ de maïs, je ne le reverrai jamais, pas ce sourire-là ; j'en verrai peut-être un autre, je l'ai espéré alors. Mais alors même que là je t'avais trouvé, je t'ai immédiatement perdu de nouveau.

Je voudrais toujours te perdre, comprends-tu ? C'est la torture et le bonheur confondus. Je crois que je t'ai appelé Fritz par inadvertance, non pas que je t'aie confondu avec Fritz, mais parce que mon instant de bonheur avec toi repose sur une tristesse, et cette tristesse a un nom à tout jamais, ce nom est Fritz.

Un ciel bleu turquoise plane sur la ville comme un foulard de soie et rend les couleurs encore plus ardentes. Devant une maison bleu cobalt se tient une femme vêtue d'une robe violette. Il fait chaud, les ombres sont noir corbeau. D'un balcon, un squelette grandeur nature vêtu d'une robe et d'un chapeau à voilette fait bonjour.

Oh, mon Dieu ! s'exclame Florian horrifié, je ne sais pas si je pourrai le supporter.

Bien sûr que si ! s'esclaffe Babette, incertaine, c'est bien pour ça qu'on est ici.

Partout on vend des petits squelettes de plâtre et de papier mâché, à chacun ce qui lui convient : hommes ou femmes en costume ou en tailleur avec un portable, femmes à la table à repasser, en bikini sur la plage, secrétaires devant leur ordinateur, familles entières en voiture, motocyclistes, couples d'amoureux, infirmières, médecins, femmes avec un bébé sur le bras, les bébés aussi sous la forme de squelettes.

Regarde comme elle est jolie, cette robe, dit Babette.

Elle soulève un squelette en robe de mariée de dentelle blanche. Florian regarde, il pâlit tellement qu'il devient presque noir et blanc, dans son tee-shirt noir. Tout à coup, il se précipite dehors. Babette le suit des yeux, stupéfaite, la mariée à la main. Elle entend encore le claquement de ses sandales de bain Adidas, bien après qu'il a disparu au coin de la rue.

Elle marche seule dans les rues revêtues de pavés inégaux. Elle se sent comme une poupée d'Europe qu'il faudrait habiller, avec sa peau blanche et ses vêtements clairs, une poupée qu'on aurait collée dans un tableau bariolé. Elle n'a pas sa place ici, elle ne supporte pas les couleurs éclatantes, criardes, dures, l'omniprésence de la mort. C'est macabre, atroce, répugnant.

Épuisée, elle s'offre un café au Camino Real, qui est un grand hôtel, mais là non plus on n'y échappe pas. Au bar, on propose des excursions pour les différents cimetières, avec un nécessaire adapté composé de fleurs, d'encens, de mescal et d'un petit *pan de muerte,* pain de la mort, qui a la forme d'un être humain avec des bras, des jambes et un gros ventre en pâte.

Pan de muerte, murmure Babette, épouvantée.

Un agent de voyages allemand a punaisé au tableau noir les JOURS DES MORTS comme autant de buts d'excursion. *Premier jour, 30 octobre : âmes des noyés ou des personnes mortes assassinées. Deuxième jour, 1ᵉʳ novembre : âmes des enfants. Troisième jour, 2 novembre : âmes des adultes.*

Le 2 novembre, Fritz et Alfred devraient donc revenir tous les deux. Mais où ? À l'hôtel ? À la pension Casa Maria, pour s'asseoir sur le lit et regarder la télévision avec Babette et Florian ? Toutefois, les morts ne reviennent que pour ceux qui croient à leur retour, pense tristement Babette. Elle a envie de rentrer.

Elle se voit entourée presque uniquement d'Américaines obèses, de quelques années plus vieilles qu'elle, vêtues de vêtements informes, sans doute veuves, qui étudient consciencieusement les plans des cimetières, prennent des notes, font le tri entre les appareils photographiques, les bouteilles d'eau et les tubes de crème solaire dans leurs sacs à bandoulière.

Je suis comme elles, se dit Babette, désespérée, je voudrais qu'on me console d'une chose pour laquelle il n'y a pas de consolation.

Sur le Zocalo, elle écrit à Thomas depuis un cybercafé, dans une baraque de tôle ondulée.

Pourquoi ne m'écris-tu pas ? Je me fais l'effet de quelqu'un qui lancerait un appel dans une pièce insonorisée. Et comme une idiote, j'attends un écho. C'est ma dernière lettre. Je n'ai plus envie.

Arrivée à ce stade de son message, elle a des problèmes avec le maniement de l'ordinateur. Il faut qu'elle appelle à l'aide sa voisine, une fille jeune à la peau blanche comme la neige, tatouée de la tête aux pieds, qui vient aussi d'Allemagne. Sur les mollets, elle a des cerises, sur l'avant-bras, un squelette entier, une main de squelette géante descend de son épaule sur son dos. Babette la regarde comme un livre d'images.

D'où vous est venue cette idée des cerises ? demande-t-elle, intriguée.

La jeune fille se retourne vers elle d'un air fier. Les couleurs ressortent particulièrement bien sur moi, dit-elle sans répondre à la question de Babette, c'est à cause de ma peau blanche.

Ah bon, fait Babette, qui se sent vieille et sotte.

Oh, dit la fille. Sans le vouloir, j'ai effacé votre mail. C'est grave ?

Non, réplique Babette. C'était une lettre d'adieu.

On ne devrait expédier les lettres d'adieu que le lendemain, dit la jeune fille avec une sagesse au-delà de son âge. Quelquefois, tout change pendant la nuit.

Okay, opine Babette.

Oui, reprend la fille en grattant l'une des cerises de son mollet. Une fois, je voulais me suicider, j'avais tout préparé, j'avais déjà rédigé la lettre d'adieu à mes parents et à mon ami, je suis juste allée aux toilettes, j'ai glissé dans l'escalier, et je me suis cassé la cheville.

Comment est-ce que vous aviez décidé de vous suicider ? demande Babette, intéressée.

En m'envoyant de l'air dans les veines, répond négligemment la jeune fille, et elle se remet à son ordinateur. Pardon, ajoute-t-elle, c'est un euro la minute ici, et je suis en train d'écrire une lettre d'amour.

Oh, excusez-moi, s'empresse de répondre Babette. Elle aurait aimé demander : De l'air dans les veines ? Et ça fonctionne ? Ça fait mal ? Combien de temps cela dure-t-il ?

Je t'écris bien que tu ne me répondes pas. J'attends un écho, mais s'il ne vient pas, je n'y peux rien. Peut-être aussi que je t'écris seulement pour me souvenir, parce que sinon toutes ces impressions s'engloutissent comme des galets dans la mer.

Le marché de Tlacolula. Au petit matin déjà, nous sommes nombreux à faire la queue pour prendre un collectivo, un taxi collectif ; les Mexicains patientent, stoïques et immobiles, tandis que je fais les cent pas, énervée et en protestant contre cette longue attente. D'où me vient l'idée que seul le temps occupé activement a un sens ? Plus j'attends, plus je m'aperçois que mon impatience est folle. À côté de moi se tiennent impassibles de minuscules femmes avec de longues nattes noires dans lesquelles sont tressés des rubans de couleur comme pour les chevaux de parade ; elles portent le costume traditionnel mexicain, un corsage à manches bouffantes avec une jupe à large fond et un tablier aux motifs multicolores. De l'autre côté, mon voisin est un très vieil homme au chapeau de cow-boy, à la peau burinée ; les deux dents qui lui restent sont couronnées d'argent, il est pieds nus. Il me sourit gentiment et avec un certain étonnement. Ces gens doivent me trouver très étrange. Qu'est-ce qu'elle a, cette gringa, à s'agiter comme ça ? Pourquoi regarde-t-elle toutes les deux minutes sur la route pour voir si un taxi arrive, pourquoi est-ce qu'elle jacasse tout le temps avec l'autre gringo ? Qu'est-ce qu'ils ont, ces gens qui ne tiennent pas en place ? Tout en méditant de la sorte, j'aperçois de l'autre côté de la rue un jeune Américain qui porte une chemise avec l'inscription : When you're not running, you're not interesting. *J'aimerais bien lui acheter sa chemise et te l'offrir…*

Les œillets d'Inde jaune d'or s'appellent cempasuchil *dans la langue des Zapotèques, c'est l'emblème du jour des Morts, chacune de ces fleurs représente symboliquement une âme, en même temps qu'elle représente le soleil. C'est joli, non ? On trace de la route à la maison un sentier jonché de pétales d'œillets d'Inde afin que les morts retrouvent le chemin de leurs parents et ensuite celui du retour au cimetière. Car s'ils se perdent et ne retrouvent pas leur tombe, ils perturberont les vivants toute l'année. Peut-être qu'il s'agit là des souvenirs.*

Enfin un taxi arrive, on fait le compte, cinq personnes par voiture, je me coince entre un homme et une femme corpulents sur la banquette arrière, Florian est assis avec le chauffeur et le vieil homme au chapeau de cow-boy sur la banquette avant. Sur une musique disco tonitruante, le chauffeur suit l'étroite rue principale, périodiquement contraint de réduire sa vitesse de façon drastique à intervalles réguliers par des tope, *buttes de béton. J'ai la terreur de mourir à Mexico dans un stupide accident de la circulation. Le côté évitable, idiot, fortuit me rend complètement folle. Pourquoi n'ai-je pas tiré la leçon de cette expérience et appris à mieux utiliser mon temps ? Mais l'exigence constante de profiter de la vie et de se demander en même temps ce qui est important et ce qui ne* l'est pas – parce que le temps qui nous est imparti est finalement si bref – me ravage. Comment supportes-tu ça ? Pourtant tu y es confronté tous les jours. Des gens qui jusqu'alors se croyaient tout simplement immortels se retrouvent étendus devant toi sur la table d'opération – juste sous l'effet de l'anesthésie, mais déjà presque dans le sommeil de la mort. Peut-être n'y a-t-il même aucune différence, qui sait ?

Le couple qui m'encadre est aussi large que haut. Inébranlables dans leur masse, ils ne sont pas ballottés comme moi de droite et de gauche. Toutefois, dès l'instant où je leur adresse la parole, cette impassibilité se change en un amical et chaleureux rayonnement, comme si on avait allumé la lumière. Ils sont complètement spontanés, sans méfiance, angoisse, ni calcul.

Ils nous conduisent au marché de Tlacolula, immense labyrinthe, où nous marchons des heures sans arriver à en sortir. Tu trouverais là ton bonheur.

Nous passons devant des montagnes de noisettes, de canne à sucre, de bananes, de haricots, d'épis de maïs, de cacao et de chapulinas, sauterelles grillées. Il suffit de manger une seule sauterelle, dit-on, pour toujours revenir à Oaxaca. On peut acheter des appareils à tortillas, des machettes et d'énormes dindons que les femmes du marché transportent enveloppés dans un linge comme des bébés. Au milieu de tout ça, des cireurs de bottes, dont les clients blasés lisent des bandes dessinées pornos tandis qu'on fait reluire leurs chaussures. Sur ton rayonnage, derrière les manuels de médecine, j'ai trouvé quelques pornos. Oui, je fouille, pour dénicher quelques bribes de toi et de ton passé, tandis que tu veilles sur le sommeil artificiel de tes patients, avec leurs terribles histoires qui fourmillent en eux pendant qu'on leur ouvre le ventre. Qu'advient-il de ces histoires lorsque tes instruments de contrôle ne présentent plus qu'une ligne droite et émettent ces longs sifflements qui te pénètrent jusqu'à la moelle ? Est-ce qu'on débranche notre âme comme un poste de télévision ? Tu le crois, ça ?

Je découvre derrière les étals un magasin de robes de mariée. Près des mannequins des vitrines se balance un squelette en plastique ; juste à côté, dans un garage ouvert, on peut *choisir un cercueil, et à l'entrée, un bébé est couché dans un carton tandis que sa mère vend des têtes de mort en sucre. Je fais inscrire ton nom en lettres de sucre fondu bleues sur un crâne, Tomas, sans h, c'est comme ça qu'on l'écrit ici. Ce sont des calaveras, dont on fait cadeau à celui qu'on aime. Désormais, je porte dans mon sac à main une tête de mort sur laquelle est gravé ton nom !*

Pour fuir la chaleur de midi, Babette et Florian se réfugient dans l'immense église de Tlacolula. Ébahis par l'opulence, ils restent assis et muets sur un banc usé. Les miroirs dorés reflètent des Indiens pieds nus, qui prient avec ardeur devant un crucifix plus grand que nature et appellent Dieu à l'aide, haut et fort. Un groupe de touristes français débarque en bloc, ils ont des badges à leur nom et de petites têtes de mort sur leurs tee-shirts. Ils dressent leurs caméras vers le haut et prennent l'église en contre-plongée, les Indiens en train de prier, un infirme qui, un œillet blanc à la main, rampe péniblement jusqu'au crucifix et, en tremblant, parvient à caresser les pieds du Christ en croix avec la fleur. Il sera sur toutes les vidéos de ces Français, son image apparaîtra sur les écrans de télévision à travers tout le pays, avec ce même mouvement de la fleur blanche sur les pieds du Christ qui saignent ; de l'autre côté du globe, il touchera, choquera ou ennuiera peut-être des gens tandis qu'ils seront en train de manger leur pizza, de lire leur journal, de gronder leurs enfants, d'avaler une arête de travers et de mourir étouffés.

Florian tape du poing sur le banc d'église, et Babette sursaute, effrayée.

Merde ! hurle-t-il hors de lui. Merde ! À quoi ça a servi toutes les prières ? Rien n'a servi à rien ! Rien de rien !

Les caméras vidéo se tournent vers lui, un jeune Allemand qui présente bien fait du tapage dans une église de

Mexico. Mais il ne va pas plus loin. Dommage, à vrai dire.

On est vraiment partis avec des pèlerins de l'Allgäu en bus pour San Giovanni Rotondo. Ils ont chanté pendant tout le trajet des cantiques à la Vierge Marie. Alfred ne chantait pas avec eux, mais moi oui. Le plus fort que je pouvais.

Dans ma terreur, j'avais tout essayé. Interrogé le Yi King, tiré les tarots, consulté le pendule – tout, pour obtenir de n'importe où dans l'univers un peu d'aide et de réconfort. Et comme cela ne donnait rien, dans mon désarroi, je m'étais mis à prier. Je ne savais pas comment on fait, je ne l'ai jamais appris. Je priais en aveugle, en quelque sorte, par précaution. Je ne savais pas non plus exactement qui prier, car je n'ai qu'une conception très floue de Dieu, mais alors il m'arrivait de prier pour moi tout seul à voix haute et avec ardeur, et Alfred me regardait faire comme un très bon skieur observe un débutant. Se demandant s'il réussira un jour à apprendre.

Lui-même dialoguait de plus en plus souvent avec Thérèse von Konnersreuth, qu'il surnommait Tété ; elle lui ordonnait en rêve d'aller dans les Pouilles, sur le lieu de naissance de *padre* Pio, moine capucin auquel on attribuait quantité de miracles.

À Pâques, il saignait des mains, comme Tété, seulement un peu plus fort et un peu plus abondamment, m'avait raconté Alfred. L'Église l'avait condamné à porter des gants pendant la messe, parce que personne ne voulait voir ça.

Il me montra un livre de photographies de Thérèse que sa grand-mère lui avait offert quand il était enfant. Tété était une toute petite femme replète, dont on prétend qu'elle ne se serait nourrie que d'hosties bénites.

Sur une des photographies, on ne voyait que deux petites croix blanches : les stigmates sur ses mains qui brillaient sans doute dans l'obscurité.

On était au lit ensemble, on regardait les photos et on était morts de rire. J'ai noué un torchon autour de la tête chauve d'Alfred, je lui ai tracé des croix au feutre dans les paumes de la main et je l'ai photographié. On se tenait le ventre de rire.

Le lendemain matin, Alfred a perdu une dent : il était fermement convaincu que c'était une punition pour s'être moqué de Tété. Ce n'était pas ma faute mais uniquement la sienne, puisque j'étais impie, je ne pouvais pas savoir.

Quand j'ai ri, il s'est mis en colère.

Il a fallu attendre une autre cure de chimio pour pouvoir partir. Deux pédés en pèlerinage. Pendant tout le voyage, il s'appuyait contre la fenêtre et se cachait derrière les rideaux verts tellement sa tête enflée de cortisone lui faisait honte – et ça au milieu de ces têtes de paysans de l'Allgäu toutes plus rouges et plus grosses que la sienne.

Je me suis gorgé des histoires de guérisons miraculeuses du *padre* Pio comme une abeille de miel. Une infime lueur d'espoir. Les marqueurs ne faisaient que monter depuis des mois. C'était moi qui prenais les résultats d'analyses. Ce battement de cœur qui vous torture au téléphone, le bruit de papier froissé, la voix indifférente de l'assistante de laboratoire qui me lisait le nombre de leucocytes, la teneur en hémoglobine, le marqueur tumoral tels les cours de la Bourse. Et notre cours baissait de jour en jour.

Dans l'autocar était présentée en boucle une vidéo qui montrait *padre* Pio dans sa cellule de moine, faisant des signes avec un immense mouchoir blanc, aussi blanc que sa barbe. Il agitait ce mouchoir des minutes entières, et les pèlerins dans le bus répondaient à ses signes avec des larmes plein les yeux. Une vieille femme d'un petit village proche de Memmingen m'a raconté que *padre* Pio lui dictait toutes les semaines les chiffres du Loto et qu'elle avait déjà gagné de petites sommes ; une autre me montra ses profondes cicatrices au cou, qui n'étaient pas les traces d'une opération : *padre* Pio lui avait passé la main sur le cou et elle avait été guérie subitement du goitre géant dont elle souffrait. Espoir. Toujours cet espoir qui, allié à l'angoisse, est parmi les sentiments les plus cruels.

Pendant tout ce temps, je croyais que *padre* Pio vivait encore. Je voyais exactement dans mon esprit la scène où Alfred relevait sa chemise et où le vieux moine à la longue barbe blanche lui tapotait le ventre en souriant ; on rentrait à la maison, et à l'hôpital les médecins étudiaient les scanners avec un air troublé : il n'y avait plus rien à voir et personne ne pouvait se l'expliquer. Je voyais Alfred sourire, ce sourire insolent, incomparable. Son âme catholique bavaroise le sauverait à coup sûr, j'en étais persuadé.

Le moine avait été en vie, c'est sûr, mais il était mort depuis longtemps, et j'étais le seul à ne pas le savoir. Déçu et furieux, je me retrouvai à la fin de ce pénible voyage devant une statue de *padre* Pio en bronze, couverte de lunettes d'aveugles guéris et de couches de bébé déposées par des femmes anciennement stériles. Était-ce vraiment ça ? Était-ce tout ?

Alfred dut me consoler comme un enfant qui vient juste d'apprendre que le Père Noël n'existe pas. Pour me rasséréner, il proposa de passer par Venise au retour.

La mort à Venise, pensai-je, quoi de plus plat, de plus grossier ?

Mais il n'y avait plus moyen de le faire renoncer à cette idée, et bien sûr le temps était mauvais, froid et pluvieux, la place Saint-Marc inondée, notre pension sans chauffage, et Alfred était trop faible pour visiter les musées ou même aller se promener.

Nous passions toute la journée dans des cafés hors de prix à nous indigner de ces pratiques éhontées, et tout à

137

coup Alfred me donna un coup dans les côtes, si fort que je poussai un cri. Regarde ! Mais regarde ! s'exclamait-il tout excité en tendant le bras en direction de la place Saint-Marc.

Une femme élégante, brune, autour de la trentaine, vêtue d'une robe-portefeuille rouge tomate marchait d'un pas pressé sur les madriers installés sur la place à cause de l'inondation ; dans la triste lumière bleutée, sa robe rouge avait l'éclat d'une flamme.

Notre robe ! cria Alfred. C'est notre robe !

Il se leva d'un bond, sortit du café et suivit la dame. Il me faisait signe nerveusement de me rapprocher davantage, jusqu'au moment où nous ne fûmes plus qu'à quelques pas derrière elle, au point que nous pouvions réellement voir la couture en biais de la jupe, un peu ratée. Aucun doute. C'était bien notre robe !

La femme poursuivit son chemin résolument, franchissant plusieurs ponts et passant par des ruelles étroites, sans même se retourner sur nous. Ce n'était pas une touriste, mais une autochtone, une Vénitienne ! Encore mieux : nous avions vendu une de nos robes à l'étranger ! Et elle était si belle dans cette robe, d'une assurance et d'une élégance si enviables que nous ne voulions pas la laisser partir. Elle apparaissait comme la vivante incarnation de la passion qui nous poussait à créer des robes.

Nous l'avons suivie jusqu'à une maison jaune, dans laquelle elle s'engouffra. Alfred était tellement transporté qu'il semblait presque en avoir oublié la faiblesse de son état.

Tu as vu le rouge sous cette lumière ? C'est fantastique, non ? C'est le rouge idéal. Pas trop bleuté, pas trop jaune. Alors qu'à l'époque tu voulais me faire prendre un rouge sang, tu t'en souviens ?

Il tremblait de tout son corps, et je le suppliai de rentrer à l'hôtel. Non, répondit-il catégoriquement, on attend.

On a donc attendu devant la maison, il faisait froid et on était mal ; avec l'affaiblissement de ses défenses immunitaires, j'avais peur qu'il attrape une pneumonie, mais rien ne pouvait le persuader de quitter son poste. Il voulait revoir sa robe encore une fois.

J'objectai qu'elle ne quitterait peut-être plus la maison de la journée et que si elle ressortait, elle se serait peut-être changée.

Il se contenta de me regarder avec pitié. Cette robe, elle ne la quittera plus, parce qu'elle sait que quand elle la porte, elle est une star. On parie ?

Peu de temps après, la porte s'est ouverte, effectivement, et elle est sortie. Au premier moment, nous avons soupiré de déception, car elle portait alors un imperméable clair, mais ensuite nous avons entraperçu un petit morceau de rouge par-dessous. On a sauté sur nos pieds et on l'a suivie de nouveau jusqu'à un petit restaurant du voisinage que les touristes que nous étions n'auraient jamais trouvé. Elle y retrouva un homme d'apparence assez grossière, avec des cheveux grisonnants et un large menton, dont, tous deux, nous aurions aimé chercher à la détourner.

Nous nous sommes assis à l'une des tables voisines et avons admiré la souplesse avec laquelle l'étoffe suivait le décolleté, la manière dont la couleur flattait sa peau. Nous émettions seulement quelques réserves sur la façon dont elle avait noué la robe, et j'ai eu du mal à dissuader Alfred d'aller la lui attacher correctement.

Elle a commis l'erreur classique, soupirait-il. Elle l'a trop tirée sur la gauche et enroulée trop serrée, alors ça la grossit.

Ça ne la grossissait pas du tout, mais je me gardai d'en discuter avec Alfred, tellement j'étais content de le voir dans cet oubli complet de lui-même. La robe transfigurait notre situation réelle comme un rayon de soleil inattendu illumine un jour de grisaille glaciale. Et nous étirions avec avidité nos membres vers ce soleil, sachant pertinemment que cela ne durerait pas longtemps.

Encore un moment, un autre, et peut-être encore un tout petit, et elle disparaîtrait à nouveau.

Nous nous sommes soûlés de joie, Alfred avait même faim, ce qui n'arrivait pratiquement plus jamais.

Celle qui portait notre robe semblait bien loin de prendre à cette soirée autant de plaisir que nous, elle était engagée dans une conversation sérieuse avec l'homme au large menton et semblait soucieuse – mais elle était splendidement habillée, et pour nous c'était l'essentiel.

Je me souvins du dessinateur de mode japonais qui avait vécu Hiroshima, et je compris tout à coup sa décision de ne plus se concentrer dès lors que sur la beauté de l'apparence. Rien n'a apporté de si grand réconfort à Alfred que sa robe rouge.

Cher Thomas,

Aujourd'hui, c'est parti. Maria a déjà construit un autel pour ses parents ; sur de petites tables à sept niveaux, elle a disposé des fleurs, des bougies et de l'encens, elle a préparé du mole, une sauce au chocolat épicée, le mets préféré des morts, et elle a placé aussi des cigarettes et une bière pour son père quand il viendra. On l'a aidée à semer de pétales d'œillets d'Inde jaunes un chemin menant à la maison, afin que ses morts arrivent vraiment jusqu'à elle, ce dont Maria ne doute pas. Est-ce que cela ne serait pas merveilleux si on pouvait croire à quelque chose comme ça ?

Il fait encore jour quand nous partons pour le cimetière de Xoxo, à l'extérieur d'Oaxaca. Nous y allons coincés dans un taxi, et dans un embouteillage infernal. Les gaz d'échappement non filtrés manquent de nous étouffer, nous empestent les poumons, on mourra encore plus tôt, ne serait-ce que parce qu'on est venus ici.

Devant le vieux cimetière de Xoxo sont disposés des étals où l'on vend des fleurs et des pan de muerte, *des têtes de mort et des bougies. Tout est encore calme, la plupart des familles sont en train de garnir les tombes. Des glaïeuls blancs sur un ciel bleu foncé, des flamboyants rouges et les* cempasuchil *jaunes omniprésents.*

Ils se sont bien habillés, les femmes portent des talons hauts et des jupes courtes, elles transportent des cabas et des sacs, on déballe des pique-niques sur les tombes ; coca et limonade pour les enfants, Corona et mescal pour les adultes. On installe des chaises pliantes pour les vieux à côté des tombes. Ça sent les tortillas et l'encens.

Assis sur un petit banc contre le mur du cimetière, on observe le mouvement, quand notre regard s'arrête sur une tombe apparemment à l'écart et à l'abandon, juste devant nous. C'est un petit garçon qui est enterré là, Marcelo, né et mort le 24 septembre 1984. Florian et moi échangeons juste un regard, et nous voilà partis pour acheter des fleurs, un pan de muerte *géant et une magnifique tête de mort dans laquelle on peut mettre une bougie.*

On décore la tombe de Marcelo, on allume les bougies, notre tête de mort est joliment illuminée. Nous nous rasseyons sur le banc, satisfaits, à contempler « notre » tombe. Nous nous sentons différents des autres touristes, qui affluent lentement en troupeau et avancent à tâtons, timides et perdus, s'efforçant visiblement de ne pas marcher sur les tombes, ce qui n'est pas si facile car il n'y a pas de chemins tracés.

Ah, soupirons-nous en silence, quelle chance de ne pas être de ceux-là. C'est alors que nous voyons approcher une famille avec des fleurs dans les bras et des sacs à la main, le père, la mère et un petit enfant.

Ils se dirigent tout droit vers notre tombe. Nous nous levons, effrayés, notre horrible pressentiment se vérifie : c'est la famille du petit Marcelo, ses parents ! Nous bredouillons des excuses, mais les parents nous regardent avec étonnement, ils nous remercient même pour notre décoration. Nous voudrions rentrer sous terre, mais non, mais non, essaient-ils de nous rassurer, ningún problema, *pas de problème. Ils nous disent avoir mis plus de temps que prévu pour arriver au cimetière, parce qu'ils habitent très loin, mais ils n'oublieront jamais leur petit Marcelo. Même s'il n'a vécu qu'un seul jour. Il est né d'un accouchement précipité, en pleine place du marché, et il était trop faible pour survivre, nous explique la mère. Depuis, elle a eu quatre autres enfants. Elle montre le petit garçon qui les accompagne, c'est son cadet.*

L'enfant grimpe sur une pierre tombale et me saute dans les bras. Il s'accroche à moi, passe un bras autour de mon cou comme un petit singe. Les parents rient gentiment et admirent notre tête de mort, ils ne savent pas quoi faire de leurs propres fleurs, la tombe est déjà couverte des nôtres.

Écarlates et bégayant toujours des excuses, nous amorçons la retraite. Je m'imagine un dimanche de Toussaint en Allemagne, découvrant sur la tombe de Fritz un groupe de Japonais ou de Mexicains qui auraient décidé de la décorer parce qu'ils ne la trouvaient pas assez belle…

Tu ris de moi ? Tu hoches la tête ? Tu me trouves bête ? Je serais même contente si tu me trouvais un peu bête. Si tu riais de moi. Car alors tout ne serait plus aussi grave. Je me suis donné tant de mal pour ne pas faire de faute avec toi, et c'est peut-être précisément la plus grande faute que j'aie commise ; c'est ce que je me dis maintenant, dans un café Internet de Mexico où les moustiques me piquent les mollets, de sorte qu'il me faut choisir entre me gratter et poursuivre le fil de mes pensées profondes et capitales.

À la tombée de la nuit, des flots de touristes de plus en plus importants s'engouffrent dans les cimetières, des éclairs de flashs crépitent comme l'orage, des caméras vidéo bourdonnent dans tous les coins, on dirait des frelons.

Des grappes de gens se sont agglutinées autour des tombes les plus spectaculairement décorées, des groupes transportent avec eux leur colis spécial cimetière – un petit bouquet d'œillets d'Inde, une bougie, un morceau d'encens et un flacon de mescal – et, sous l'égide d'un guide mexicain, ils sont autorisés à orner une tombe. Les parents du défunt, un peu gênés, détournent le regard et font un petit signe de tête aimable. Babette et Florian se sentent mal à l'aise. Ils errent, éperdus, dans le cimetière et se sentent doublement seuls. Leurs propres morts ne sont pas là ; ils sont très loin, en Allemagne, en tout cas c'est l'impression qu'ils ont. Alfred manque tellement à Florian qu'il en a le vertige. Il s'assied sur l'herbe sèche et se retrouve immédiatement encerclé d'enfants qui réclament quelques pesos. Ils ont disposé des bougies sur une tombe et affirment que c'est la tombe de leur grand-père. Ils ricanent.

Un peso, disent-ils, *un peso para Halloween. Halloween.*

Babette leur donne plusieurs pièces, ils s'en vont en criant. Elle s'assied à côté de Florian, mais il est profondément absorbé dans ses pensées et ne lui prête pas attention. Qu'est-ce que je suis venue faire ici, se demande Babette, qu'est-ce que j'ai espéré de tout ce cirque ?

D'épais nuages de fumée d'encens passent au-dessus du cimetière. Les familles déballent la nourriture, des *tamales*, du poulet et la sauce piquante au chocolat, *mole*, les bouteilles de mescal circulent à la ronde, on vend de la barbe à papa, les magnétophones s'allument, les premiers orchestres mariachis arrivent et jouent à la demande devant les tombes. Les jeunes s'amusent, mais on voit devant certaines tombes des vieux assis complètement absorbés dans leurs pensées, immobiles dans la lueur des bougies, tandis qu'autour d'eux la musique est de plus en plus forte. Un vent tiède entremêle les musiques provenant de tous les coins du cimetière. Des enfants costumés en Dracula, la Mort ou le Diable jouent

143

à cache-cache, un garçon assis sur une tombe est penché sur sa Gameboy, une fillette de trois ans dessine avec des pétales d'œillets d'Inde un motif sur la pierre. Un grand-père fait sauter sur ses genoux un tout petit enfant déguisé en squelette, en combinaison noire sur laquelle on a dessiné des ossements blancs phosphorescents, un autre enfant tire avec un pistolet factice, tandis qu'au-dessus de lui un Christ de marbre étend ses bras en croix ; quelqu'un lui a mis dans la main qui bénit une fleur d'œillet d'Inde.

Une fanfare résonne tout à coup, et sur un maigre cheval arrive un personnage costumé, une poupée blonde attachée sur le ventre. À côté de lui s'avance un homme déguisé en femme portant une coupe de fruits sur la tête. Ils miment tous deux un dialogue sans paroles avec de grands gestes, la femme supplie l'homme à cheval de prêter l'oreille à son amour. Enfants et adultes se joignent pour suivre cet étrange spectacle muet. Tout est silencieux, jusqu'au moment où, sans que personne ait pu s'y attendre, un orchestre mariachi commence à jouer sur les notes les plus bizarres afin que tout le monde se mette à danser entrer dans une danse endiablée.

Un masque de monstre aux cheveux rouges entraîne Babette au milieu, il faut qu'elle danse, elle aussi, bon gré mal gré, elle tend le bras vers Florian, qui ne se laisse entraîner qu'à contrecœur. Et ils se trouvent ainsi bousculés dans une foule qui s'agite à travers le cimetière, sans savoir exactement ce qui leur arrive. Une bouteille de mescal circule de main en main, les premières fois Florian essuie prudemment le goulot de la bouteille du revers de sa manche, l'alcool lui traverse le corps comme une flamme qui brûle toute sensation. Il tend la main : encore une gorgée et encore une, pour que tous ces souvenirs s'anéantissent dans les flammes.

Fidel Castro en grand équipage apparaît derrière une tombe et tire à la mitraillette sur Florian et Babette. Babette pousse un cri d'effroi, Florian rit. Alors, derrière son masque de plastique impassible, Fidel cherche sa main et veut danser avec lui. Un homme jeune, avec des fesses jeunes, fermes, Florian a tout de suite vu ses fesses, il lui pose les mains sur les épaules et l'attire contre lui. En une seconde, le corps de Florian est inondé de chaleur comme sous l'effet d'une poussée de fièvre. Il y a deux ans qu'il n'a couché avec aucun homme. Inimaginable. Inexprimable. Il sent vaguement que son visage est humide. Chaudes larmes ou sueur froide ? Il ne peut plus distinguer. Les sentiments volettent dans l'air tels des papillons géants, ils vont et viennent, et avant même qu'on y ait pris garde ils ont à nouveau disparu.

Derrière le mur du cimetière, on voit apparaître des enfants qui crient dans des nacelles de balançoires ; lorsqu'elles ont atteint le sommet de leur trajectoire, elles restent suspendues très haut au-dessus du mur comme une vision d'un autre monde, pour ensuite s'éclipser à nouveau.

Fidel Castro entraîne Florian avec lui, d'un bout à l'autre du cimetière, par un labyrinthe de tombes. Florian se retourne encore une fois vers Babette, mais il l'a déjà perdue de vue. Fidel l'attire toujours plus près de lui, Florian sent son après-rasage bon marché, le plastique du masque, un petit bout de peau brune et lisse du cou. C'est là qu'il voudrait l'embrasser, ici, tout de suite, derrière un ange de pierre, mais Fidel l'entraîne plus loin, à une soirée entre jeunes parmi les tombes. Ils ont fait venir deux orchestres, un orchestre d'instruments à vent et un orchestre mariachi, qui alternent une musique rapide, débridée, et une musique lente à fendre le cœur. Sur la musique des instruments à vent, les participants, séparés, agitent sauvagement bras et jambes dans l'oubli d'eux-mêmes, pour ensuite danser lentement et étroitement serrés l'un contre l'autre sur la musique mariachi. Florian s'accroche à Fidel comme un naufragé, pour ensuite s'agiter d'autant plus furieusement sur les séquences de musique accélérée.

Rien n'est simple et joyeux, il ne le comprend que trop bien, tout est au contraire désespéré, révolté et mélancolique. La douleur se fait de plus en plus nette, dure, fulgurante, ou lente et tendre, selon la musique.

C'est bien la sensation que lui donne sa tristesse. Elle change de visage mais ne le quitte jamais. Ici, on la prend publiquement à bras-le-corps, on n'est pas forcé de se terrer avec elle sous prétexte qu'elle est considérée comme déplaisante et fait de vous un paria.

Mi hermana, dit Fidel. La tombe de sa sœur, morte il y a un an, à l'âge de vingt-huit ans.

Mi amigo, baragouine Florian, *dos años*.

Que Fidel l'ait compris ou pas, il lève la main et caresse tendrement la joue de Florian, le serre contre son uniforme vert, le serre si fort qu'il en a le souffle coupé.

Reste comme ça, voudrait lui dire Florian, reste jusqu'à ce que je t'aie tout dit d'Alfred, tout ce que je sais de lui. Reste comme ça pour que je n'aie plus besoin d'avoir peur, reste juste comme ça. Mais la musique change à nouveau, c'est l'orchestre d'instruments à vent qui reprend, Fidel le repousse, tous deux sautent et s'agitent, se secouent et se cabrent. Mais peut-on se débarrasser de la douleur en se secouant, à l'instar d'un animal pris au piège ?

Babette rentre seule à la maison, tard dans la nuit, sans Florian, elle se sent comme si elle avait perdu un chien, la laisse encore à la main. Où est-il parti, ce chien ? Dévoré par un lion juste au moment où elle ne regardait pas, tombé dans une faille, englouti par la vie ? Englouti par un homme, bien sûr. Elle a redouté cet instant ; maintenant, elle est de nouveau toute seule.

Des morts sont assis autour de son lit. Allez-vous-en ! crie-t-elle. Foutez le camp, laissez-moi tranquille ! Ils croisent leurs jambes de squelette et la fixent du fond de leurs orbites noires. Babette cherche la chaîne qui diffuse les dessins animés de Donald, qui l'ont déjà apaisée une fois, mais ce soir il n'y a que des communiqués de tous les coins du Mexique sur les festivités du jour des Morts.

À Campeche, on sort les crânes et les ossements de parents défunts d'une petite caisse de bois, on les nettoie et on les décore, certains sont même parés d'une perruque ; on leur met des pétales d'œillets d'Inde dans les orbites, et quand la fête est finie ils regagnent pour un an leur caisse. À Patzcuaro, des barques décorées se rendent à un cimetière sur une petite île, à Mexico une *ofrenda* géante est organisée sur le Zocalo, on élève un autel pour les morts assassinés de la ville. Chaque année ils sont plus nombreux ; en même temps, de gigantesques soirées spéciales « jour des Morts » sont organisées dans toutes les discothèques.

Babette voit des femmes en minijupes clinquantes et des hommes aux cheveux d'un noir bleuté qui dansent ensemble. Elle esquisse quelques pas toute seule, entre le lit et le téléviseur. Les morts se moquent d'elle. Ne te fatigue pas, disent-ils. Et leurs côtes s'entrechoquent.

Babette sort dans le jardin, l'herbe brille d'un vert cru au clair de lune, le perroquet crie Maria, Maria, mais il n'y a personne, Maria est au cimetière comme tous les autres, la pension est plus sombre et plus silencieuse qu'un tombeau.

La porte du bureau de Maria est fermée à clef, mais pas celle de la cuisine. Dans le réfrigérateur, il y a de cette sauce noire, piquante et sucrée. Babette y trempe un doigt et le lèche. L'air froid du réfrigérateur l'enveloppe tel l'hiver en Allemagne. Par la cuisine, elle atteint le bureau, ses doigts composent le numéro de Thomas. Le signal d'appel résonne dans son appartement, à l'autre bout du monde – sirène de bateau dans le brouillard –, mais il ne répond pas.

Elle prend deux somnifères. Et sombre dans le sommeil comme dans une neige molle. Elle voit défiler dans ses rêves un bonhomme de neige en soutien-gorge noir. Elle se sait enfouie elle-même sous la neige, puisque c'est son soutien-gorge, elle le reconnaît, le plus beau, en dentelle noire, celui qui a coûté bonbon.

Dónde está el señor ? demande Maria.

Babette sourit. Il dort, dit-elle. Mais elle sait qu'il n'est pas rentré de la nuit.

À la table du petit déjeuner, les touristes ont l'air éprouvés. La nuit dernière leur a creusé les traits. Ce soir, ils retourneront dans les cimetières, mais ensuite s'il vous plaît, rentrons vite à la maison. Dans le salon et assis sur le canapé, on allumera la télé, et on sera de nouveau en sécurité. La vie et la mort se joueront de nouveau dans le poste de télévision et non plus dans leur propre poitrine, personne ne peut supporter ça !

It's a little too much, dit une femme en costume d'éponge bleu ciel, *don't you think ?*

It's a little too much, répète Babette à mi-voix. De son assiette, elle sort des feuilles de maïs, les *tamales* piquants, comme elle déshabillerait de petites poupées. Le maïs. Le champ de maïs. Thomas. Elle murmure son prénom. Il s'évanouit dans l'atmosphère mexicaine telle une bulle de savon, comme si elle l'avait inventé.

Elle achète des souvenirs, sans savoir pour qui. Les gens de la maison d'édition, est-ce qu'ils comprendront le sens de ces petits squelettes de plâtre ? Les secrétaires à tête de mort, les religieuses et les mariées, les femmes en bikini, les musiciens et les commerçants avec leur portable ? Elle découvre le squelette d'un médecin en blouse blanche, le stéthoscope autour des os du cou, elle l'achète pour Thomas. Il le recevra avec un sourire réservé, le posera sur le rayonnage de la bibliothèque, où l'objet prendra la poussière, plus mort que mort. Jamais personne ne rira du squelette comme il se doit, personne ne s'exclamera : Ah, qu'il est beau ce mort !

Sur le Zocalo, un marchand ambulant traîne derrière lui ses ballons comme des animaux multicolores et récalcitrants. D'artistiques tableaux de sable ont été dessinés sur la place. Ils montrent des têtes de mort, quoi d'autre ? Babette aurait envie de grimper dessus, de sauter dedans comme un petit enfant, de tout détruire, de lancer du sable, le sable des têtes de mort.

En même temps, elle s'imagine à Munich, en train de confectionner une tête de mort dans une aire de jeu, avec du sable jaune et d'immenses orbites qu'elle noircirait de terre. Les enfants offrent leur aide, ils arrivent en trébuchant avec leurs pelles de plastique de toutes les couleurs, des tamis et des petits seaux ; de leurs petites mains ils tassent la tête de mort ; des mères alertées, en tenue de jogging, les rappellent à l'ordre en regardant méchamment Babette. Tout bas, on projette déjà son internement, on va au moins porter plainte, on met la main sur les yeux des enfants, ne regardez pas, c'est une folle, certains individus ne maîtrisent pas leur existence.

Je pourrais disparaître à tout jamais, songe Babette, dans le journal on pourrait lire : *Disparus le jour des Morts, regrettés à jamais, deux Allemands, Babette Schröder et Florian Weber.*

Une Américaine portant un petit enfant dans les bras s'assied à côté d'elle. L'enfant tient à la main un ballon rouge qu'il suit des yeux en dodelinant de la tête, c'est un cercle rouge sur un fond bleu. L'enfant fixe le ciel et ouvre la main, le ballon s'échappe malicieusement.

Salut, pauvres idiots d'en bas, cloués au sol par la pesanteur tel le gras dans la saucisse. Salut, pauvres de vous, *ciao* et *good luck.*

Babette et l'enfant suivent des yeux le ballon qui semble de plus en plus petit et joyeux. L'enfant hésite, puis se met à hurler comme si on lui transperçait la poitrine. Sans un mot, Babette se lève et va lui acheter un ballon neuf.

Thank you, dit la mère, et elle raconte spontanément à Babette l'histoire de sa vie : au cours de leur voyage de noces à Acapulco, deux ans plus tôt, son mari, qui n'avait pas même trente ans, est mort d'un infarctus, et elle a obtenu des autorités mexicaines le droit de prélever un peu de sperme du défunt. Le résultat regarde Babette sans expression et bave. Il n'accorde pas un regard au ballon neuf.

Have a nice day, dit Babette en s'éloignant précipitamment.

Ces histoires, toutes ces histoires, se dit-elle. Elle aimerait ne plus en avoir, les laisser s'envoler, les suivre des yeux encore une fois, se détourner et ne pas en acheter de nouvelles. Adieu. À partir de maintenant, je n'en ai plus.

Elle trouve un petit mot sur son oreiller : *Le está buscando un señor de Alemania*. Un homme qui vient d'Allemagne vous a demandée. Florian a dû refaire surface.

Elle frappe à sa porte mais n'obtient pas de réponse. Par une étroite fente du rideau de plastique, elle le voit allongé sur le lit. Il est là, une tache d'encre bleue sur les draps blancs, et c'est seulement alors que Babette réalise qu'il porte sa robe bleue. Sans blague ! Il a piqué sa robe bleue et il l'a mise. Ses mollets nus dépassent de la robe, il est allongé sur le dos comme… Oh, mon Dieu, pense Babette effarée en secouant la poignée de la porte, bien sûr ! Absolument évident. Il voulait faire ça ici. Et maintenant il l'a fait. Il a réussi. En plus, avec la robe bleue ! C'est pathétique, non ? Très bien ! Je connais ça, je connais tout ça par cœur !

Elle voit déjà les médecins des urgences mexicaines qui forcent la porte, elle entend les ambulances, sent à nouveau dans sa poitrine cette douleur sourde, insoutenable. Juste à cet instant, la robe bleue remue et se redresse. Ce n'est pas Florian, mais un beau jeune Mexicain. Il se frotte les yeux et la regarde fixement. Babette s'éloigne de la porte. Comment Florian peut-il lui faire ça ? Qu'est-ce qui lui prend ? Elle a des larmes de colère plein les yeux. Mais qu'a-t-elle donc fait, à la fin, pour que tous l'abandonnent ?

Elle vagabonde sans but à travers la fête populaire, passe devant le Panteon General, le grand cimetière ; elle lèche de la barbe à papa qui lui rappelle son enfance, les larmes amères dans les autos tamponneuses, les balancelles terrorisantes et le ridicule train fantôme. Le jour baisse, le ciel rougeoie, prêt à s'enflammer avant que ne s'abatte la nuit comme un rideau noir.

Dans une rue secondaire, elle est emportée par un défilé d'enfants et d'adultes déguisés, il y a Dark Vador et Freddy Kruger, quelques monstres terribles qui perdent leur sang par d'horribles blessures, et la Mort recouverte d'un drap blanc, avec un masque arborant un atroce rictus. Ce personnage vient tout droit vers elle, et quand elle veut s'écarter pour le laisser passer il la prend par le bras et l'entraîne avec lui.

L'orchestre joue devant, ils marchent dans les rues, s'éloignant du cimetière jusqu'au moment où ils s'arrêtent devant un garage grand ouvert dans lequel a été aménagé un autel à sept marches, le décor de canne à sucre et tout ce qui s'ensuit. Un jeune homme en soutane lit aux enfants un texte sur la signification et la construction de l'autel puis demande : Qu'est-ce que représentent les *cempasuchil*, les œillets d'Inde ?

Sagement, les monstres répondent : Les âmes des morts et le soleil.

Et l'encens ?

La communication avec Dieu ! hurle Freddy Kruger.

Le jeune homme opine du chef ; satisfait, l'orchestre recommence à jouer, on distribue à chacun un petit morceau de pain de la mort, même à Babette, et on continue.

Le masque de la Mort ne la quitte pas d'un pouce. Il est plus petit qu'elle d'une tête et trapu, sans doute un garçon de quinze ou seize ans.

Il la tient fermement par le bras, et Babette le suit docilement. Les maisons devant lesquelles ils passent semblent de plus en plus misérables, les rues de plus en plus sombres, elles ne portent plus de nom. Jamais Babette n'oserait s'aventurer seule dans ces quartiers, mais au milieu de tous ces monstres, avec la Mort à ses côtés, elle se sent en sécurité. Comme elle lui sourit, il l'entoure de son bras : *I love you*, dit-il, et il lui sourit à son tour, de sa tête de squelette.

L'orchestre joue une trépidante musique mariachi au milieu de la rue, les monstres se balancent en cadence, la Mort invite Babette à danser.

Elle accepte, le cœur battant. Les enfants applaudissent. La Mort danse avec une *gringa* blonde. L'orchestre joue de plus en plus vite. Au milieu d'un nulle part abandonné des dieux, sous un sinistre réverbère, ils dansent bientôt tous, comme des fous. La Mort fait tourbillonner Babette en se déhanchant. Peut-être est-ce une femme. Babette sent tous les os de son squelette en dansant. Elle s'efforce de ne pas lui marcher sur les pieds, elle qui n'est presque jamais arrivée à persuader Fritz de danser.

Et pourtant il dansait si bien. Là, il était dans son élément, il en perdait toute timidité.

Hé, Fritz, regarde-moi, murmure-t-elle.

Ah, enfin, dit-il, et elle l'entend rire.

Tu vas bien ?

Oui, ça va. C'est bien d'être mort – on n'a plus tous ces déchirements épouvantables dans la poitrine.

La danse est terminée, la Mort s'incline devant Babette, mais les enfants crient *otra, otra !* et l'orchestre recommence, plus déchaîné que jamais. La Mort la prend par la main et l'entraîne au milieu de la foule, Babette s'agite de plus en plus vite, son corps se perd dans la musique, il se liquéfie et coule, elle cesse de s'observer comme un censeur, elle ne regarde plus ses pieds, elle s'abandonne. Elle renverse la tête en arrière et tourne, tourne, tourne encore, jusqu'à ce que les lampadaires ne soient plus qu'une boule lumineuse de discothèque. Au-delà guette l'obscurité la plus profonde et la plus triste, mais là, en plein milieu de la rue, la vie est douce et piquante comme la sauce au chocolat.

Babette voudrait que ça ne s'arrête jamais. Elle danse jusqu'à en avoir des ampoules aux pieds, jusqu'à ce que ses os peinent à retrouver leur place.

À l'aube, les monstres rentrent à la maison, ils lui serrent la main de leurs tendres petites pattes d'enfants, le masque de la Mort lui donne un bout de papier avec un numéro de téléphone.

Call me, dit-il, et il est prêt à se tordre de rire.

Babette réplique : *Don't call us, we'll call you*, ce qui le fait rire encore plus fort.

Elle le serre dans ses bras, embrasse sa tête de plastique.

Adiós muerte, dit-elle.

Adiós.

Elle trébuche autant qu'elle plane en rentrant chez elle, à la pension. Le perroquet dort sous un châle, tout est silencieux. Les pieds meurtris, elle gravit les marches de l'escalier, ouvre la porte de sa chambre – et Thomas est couché dans son lit.

Incrédule, elle approche sur la pointe des pieds, pince délicatement sa chemise, effleure du bout des doigts sa peau. Centimètre par centimètre, ses mains parcourent tout son corps. Elle ne laisse pas de côté un seul point, jusqu'à être définitivement sûre qu'il est là. Vraiment.

Il ouvre les yeux.

Hola, chica. Je n'ai pas pu venir plus tôt, j'étais de service.

Maintenant tu es là, répond-elle à voix basse. Maintenant tu es bien là.

On remballe les squelettes, la ville plonge dans une profonde léthargie. Elle semble brusquement éteinte, morte. J'enveloppe soigneusement mes squelettes de plâtre dans un papier journal, et la tête de mort en sucre, avec inscrit le nom de Thomas, je la lui offrirai une fois de retour en Allemagne, je la lui donnerai un soir de printemps, quand les motos bourdonnent à Schwabing et que les gens ouvrent les fenêtres pour évacuer les querelles de l'hiver.

Je prends congé de Florian. Il va rester ici, jusqu'à ce qu'il redécouvre qui il est. Nous allons une dernière fois ensemble sur le Zocalo respirer encore le mélange d'odeur de cirage et de gardénia.

Les enfants sautent sur les tas de sable des tableaux de têtes de mort et les détruisent. Sur un étal, nous achetons des sauterelles grillées : *chapulinas.*

Allez, avale ça, ordonne Florian. Il suffit d'en manger une pour revenir à Oaxaca.

Mais est-ce que j'en ai envie ?

La sauterelle a un horrible goût rance et craquant, je sens les pattes sur ma langue et dans ma gorge, Florian les crache.

J'y suis déjà, fait-il.

Nous nous asseyons sur le petit mur de l'église. Je regarde mes jambes ballantes. Elles ont bien bruni au soleil. On ne dirait plus mes jambes, c'est comme si elles appartenaient à une autre.

J'aimerais bien récupérer ma robe bleue, dis-je.

Au bout d'un petit moment, Florian demande : Est-ce que je pourrais la garder encore un peu ? Juste pour la regarder. Tu n'en as plus besoin. Tu t'es trouvé un mec.

Je réponds en ricanant : Mais toi aussi.

Hum, réplique-t-il, pas vraiment. C'était juste pour une nuit. Et lui faire enfiler la robe, c'était une idée stupide. Je ne sais pas ce qui a pu me passer par la tête. Il s'est mis à me parler au milieu de tout ça. En tchèque.

Et tu comprenais ?

Oui. Il disait : *Pravda, pravda, pravda.*

De rire, on a failli tomber du mur.

Quelquefois, j'entends Alfred rire, reprend Florian. C'est nouveau.

J'acquiesce. Fritz a ri la nuit dernière pour la première fois. Comme chez les bébés de trois mois, apparemment, chez les morts, le premier sourire vient au bout de deux ans.

Possible, dit Florian.

Possible.

Nous nous taisons. Puis Florian demande :

Tu ne m'as jamais dit ce qui s'était finalement passé avec M. Shun.

M. Shun ?

Le Chinois. Le Chinois de l'avion.

Je n'ai plus jamais pensé à lui, dis-je, étonnée. Vraiment plus jamais. La compagnie aérienne a fait l'échange de nos valises à un moment donné, à Bali. J'ai retrouvé la mienne, et lui sans doute la sienne, et je n'ai plus pensé à lui une seule fois. C'est étrange, n'est-ce pas ?

Il secoue la tête. Moi non plus, je n'ai plus jamais pensé à Andi. Il n'existait que parce que Alfred était là. De même que je n'existais que parce que Alfred était là. Maintenant, je suis quelqu'un d'autre.

Dans l'avion qui nous ramène à Mexico, nous sommes presque les seuls touristes parmi les *Indios*. Je n'ai pas l'habitude d'être assise à côté de Thomas, dont les longues jambes me gênent. Nous nous sourions timidement, nous n'avons pas l'habitude d'être si près l'un de l'autre aussi longtemps.

Nous survolons à nouveau l'immense océan de constructions de Mexico, je me demande à nouveau si le pilote va trouver l'aéroport, mais je vois alors la piste au-dessous de moi. Par la pensée, nous avons déjà atterri, je descends et j'attends près du tapis roulant, j'attends impatiemment ma valise, lorsque brusquement, à trois mètres du sol à peine, l'avion remonte à quatre-vingt-dix degrés vers le ciel.

C'est donc ça, c'est donc comme ça, ai-je juste le temps de penser avant que d'un bond géant la peur s'abatte sur mon corps tel un tigre affamé et m'engloutisse. En même temps, je m'aperçois que j'ai froid, je suis glacée, mon corps est pétrifié de froid. Je vois Thomas se jeter sur moi et me pousser vers le bas. Je vois la moquette verte de l'avion, dure et râpeuse, et mes chaussures de sport qui fond un angle bizarre avec les jambes de mon pantalon. L'avion peine et cliquette, il semble sur le point de se briser en morceaux. On expulse l'air de mes poumons comme on dégonfle une bouée en forme de canard. L'indifférence m'envahit, puis de nouveau la peur.

Au bout d'une minute, ou d'une année, je ne saurais le dire, nous avons repris suffisamment d'altitude pour que l'avion se remette à l'horizontale.

Je me redresse. Thomas me tient fermement tout contre lui. Je ne distingue plus où finit son corps et où commence le mien. On entendrait une mouche voler. Les *Indios*, à côté de nous, regardent toujours stoïquement dans le vague. Ils ne laissent pas paraître la moindre émotion.

Thomas écarte les cheveux de mon front. Son visage est blanc et couvert de transpiration.

Cinq minutes plus tard, le capitaine prend la parole. Il ne parle plus qu'espagnol, l'anglais a disparu. Un autre avion occupait malencontreusement notre piste, explique-t-il en substance. C'est tout.

Nous nous apprêtons de nouveau à l'atterrissage, et cette fois tout se passe bien. J'arrive à peine à me mettre debout tellement mes genoux tremblent ; en descendant, nous passons devant les hôtesses, elles sont livides, l'une d'elles tremble comme une feuille.

Gracias, lui dis-je en lui serrant la main avec une chaleur débordante, comme si elle avait personnellement assuré l'atterrissage. *Gracias !*

Là encore, nous manquons notre correspondance ; et, là encore, nous prenons une navette brinquebalante qui nous fait passer par les mêmes rues sombres.

Thomas regarde autour de lui, inquiet.

Tu es sûre que c'est le chemin ?

Ne t'en fais pas, dis-je d'un air supérieur en prenant sa main, n'aie pas peur.

On nous dépose devant le même hôtel brillant de tous ses feux. C'est juste l'heure d'ouverture du buffet au restaurant, comme si on n'attendait plus que nous. Nous remplissons nos assiettes et buvons à notre santé.

A la vida, propose Thomas, et je répète : *A la vida. Y a la muerte.*

A la muerte, dit Thomas en souriant.

Je tends le bras vers Thomas. Il pose doucement sa main sur la mienne.

Nous sommes étroitement enlacés dans le lit, la chambre baigne dans la lumière bleutée du néon, on entend au loin les avions décoller, un couple se dispute juste à côté.

Tu vas bien ? murmure Thomas.

Oui, dis-je tout bas. Très bien.

Je me lève et fouille à deux mains dans ma valise. J'en sors le gros paquet emballé dans du papier journal et l'ouvre. Tous les squelettes de plâtre sont brisés, je ne trouve plus que des miettes de toutes les couleurs. Seule la tête de mort portant sur le front le nom de Thomas sans *h*, écrit en sucre bleu clair, a survécu.

Je la porte précautionneusement sur le lit à deux mains, et nous restons assis là, sans dire un mot, à la lécher encore et encore, jusqu'à ce qu'elle perde sa forme. Bientôt, ce n'est plus qu'un bloc de sucre sans nom.

Photocomposé par Nord Compo
à Villeneuve-d'Ascq

Achevé d'imprimer sur les presses de

BUSSIÈRE

GROUPE CPI

à Saint-Amand-Montrond (Cher)
en septembre 2006
pour les Éditions Belfond

N° d'édition : 3995. — N° d'impression : 063070/1.
Dépôt légal : septembre 2006.

Imprimé en France